商空間のデザイン手法

時代をつくる発想34

山倉礼士

学芸出版社

まえがき

　本書の企画は、ある日突然出版社から「日本の商空間(つまり、ホテルやレストラン、物販店、オフィスなど商業系の空間デザイン)の本をまとめてみませんか?」と声がかかったことから始まりました。"色褪せない日本の商空間"を"インテリアデザインの実務者向け"に"できるだけ具体的"な文章で、というリクエストがあり、「設計を手掛けたデザイナーの言葉をもとに、筆者なりの解釈や印象を重ね合わせながら記録することができないだろうか」、と考えました。

　しかし、店舗のデザインというのは、そこを訪れるお客さんのためにあり、経済活動のために存在するものと理解しています。その上、編集者である私のような立場から順位をつけられるものではなく、また、順位をつけるべきものではないと常々感じていたので、掲載店舗を選ぶ作業は難航しましたが、"設計手法"を切り口に、2000年前後から今日までに訪れた、自分の記憶に刻まれた34の事例を抽出しました。

　読者の皆さんが実際に訪れたことがある店舗であれば異なるご意見も多々あると思いますが、極めて私的な見地から執筆した本書が、現代のインテリアデザインを楽しみ、また、時代をつくってきた名店に思いを馳せるきっかけになれば幸いです。

　また、ここに紹介した34のストーリーのうちの一つでも、空間デザインを学ぶ学生の方々の探求心を刺激することができれば、日本発の店舗デザインに魅了されてきた者としてこれ以上の喜びはありません。

山倉礼士

目次

2章 FASHION & RETAIL
ファッション&リテール

3章 CAFE, WORKPLACE & MIXED-USE
カフェ、ワークプレイス&ミクストユース

1. 街との関係性を見つめる

2. 多様で自由な居場所をつくる

1章

RESTAURANT, BAR & HOTEL

レストラン、バー＆ホテル

1. 日本固有の美を伝える ／ 2. 唯一無二のオブジェクト ／ 3. 居心地を起点にする

2000年以降の商空間デザインを振り返ったときに、1990年代との大きな違いの一つに、日本国内のデザイナーと海外デザイナーの起用方法への変化があるように思う。そんな動向がはっきりと見られたのが、この1章で紹介するホテルやレストラン等、ホスピタリティーデザインの分野だ。90年代には、デザインへの期待と話題性を含め、欧米のビッグネームを起用したプロジェクトが数多くあった。それに対し、2005年以降は外資系のラグジュアリーホテルが一気に日本に進出し、ニューヨークとトロントを拠点にフォーシーズンズホテル等を手掛けるヤブ・プッシェルバーグや、イギリスで学んだ後に香港を拠点に活躍するアンドレ・フーといった世界のホテル、レストランデザインを牽引するデザイナーと並び、日本のデザイン事務所が起用されていく。その背景には、「グランド ハイアット シンガポール」のレストラン「メザナイン」（1998年）での成功を経て、同ホテルとの一連の仕事で世界に存在感を示した、杉本貴志さん率いるスーパーポテトの活躍があった。その後、外資系ホテルの例を挙げれば、「マンダリン オリエンタル 東京」（2005年、p.37）の飲食フロア等を手掛けた小坂竜さん（A.N.D.）、「ザ・ペニンシュラ東京」（2007年、p.24）の橋本夕紀夫さん（橋本夕紀夫デザインスタジオ）、「W ホテル香港」（2008年）の森田恭通さん（GLAMOROUS co.,ltd.）、「ザ リッツ カールトン香港」のバー「Ozone」（2011年）の片山正通さん（Wonderwall®）らが国内外で活躍している。これ

らの仕事で先陣を切ったデザイナー達が、利益を生む空間をつくれることを証明したことで、先入観にとらわれず、生み出す世界観やデザインのクオリティーによって選ばれる時代になっていったのだろう。近年の宿泊施設に目を向けると、「ホテル クラスカ」（p.13）が国内事例の端緒だったように感じるが、個性的なブティックホテルが増えて選ぶ楽しみができたことに加え、日本独自のスタイルを持つ旅館の進化、民泊の広まり、別荘にサブスクリプション機能を組み合わせた新たなサービス形態の登場等、マーケットの枠組みが大きく変わりつつあるので、今後の10年間に起こるであろうデザインの変化がますます楽しみな分野だ。

一方、飲食のシーンに目を向けると、この20年間は一言で言い表すことができない多様かつ複層的な時代のように感じる。近年のキーワードを挙げるならば、生産地や生産者と結びついたスタイル、海外の雰囲気を巧みに採り入れた店舗への変わらぬ人気、日本をオリジンとするデザインへの回帰、アルコールを嗜まない人のための空間、等だろうか。そして今後については、空間の見栄えや奇抜さとは別の尺度で、他国で見られるような難民の労働環境をサポートするダイニングイベントや、サスティナブルの視点からガラス瓶での流通を省いて樽から直接グラスに注いで飲ませるワインバーのように、社会的な動きが新しいレストランやバーデザインの扉を開くような気がしている。

01 ハイアットリージェンシー京都 (2006年)

和のエレメントを抽象化する
—— 白い格子のスクリーンで包まれたロビー ——

　これまでの取材生活の中で、お会いする度に身が引き締まり、また、話を聞く度に大いなる刺激を受けたデザイナーが杉本貴志さんだ。その杉本さん率いるスーパーポテトが手掛け、2006年に開業したのが「ハイアット リージェンシー 京都」である。この地で営業していたホテルを全面改修して、ハイアット ホテルズ アンド リゾーツのホテルとして再生するプロジェクトで、スーパーポテトは全体の監修と共に、ロビー、レストラン、ショップまわりの設計を担当している。

1/1階ロビー。天井まわりは和の伝統柄を抽象化したオリジナルのスクリーンで覆われている。

雅な感性と和の精神を表す構成

　ハイアットグループとスーパーポテトの連携は、1996年の「グランドハイアット福岡」に始まり、世界のホテル関係者の注目を集めた「グランドハイアット シンガポール」内の大型レストラン「Mezza9(メザナイン)」(1998年)の大成功を経て、2003年の「グランドハイアット東京」等へと繋がっていく。そうした確かな信頼関係を築く中で計画された「ハイアット リージェンシー 京都」では、真っ白な格子状のスクリーンを全面に巡らせたロビー空間のデザインがとても印象深い。

　このホテルのデザインコンセプトとなった「現代における和」というフレーズは、幾度となく日本のホスピタリティーデザイン界隈で耳にしたことがあるが、このホテル程、現代における和の解釈を、明確にデザインとして表したものはないように思う。杉本貴志さんが2018年に他界した後、スーパーポテトの代表を務める夫人の泉さんは、「杉本は、ロビーの天井と壁のスクリーンを通した光をとても気に入っていました。ホテルでは、ご当地の要素を採り入れたいと言われることが多くありますが、このロビーでは直接的に京都のものを使うのではなく、京都らしい雅な感性と、和の精神をデザインに表したのだと思います」と振り返る。

創造は闘って完成する、という教え

　また、スーパーポテトの創設期、1976年から85年までスタッフとして在籍した、飯島直樹さん(飯島直樹デザイン室)は、過去に挑戦した天井のデザインと、このホテルの繋がりについて「杉本さんが、いち早く天井の可能性に着目したのは1970年代のことで、天井全面にファブリックを張り、その内側に光源を入れた『テフテフ』(1974年)や、天井グリッド格子内に間接照明を設けたバー『ポスト』(1975年)、二重パンチングメタルによるモアレ効果照明のパブ『オレンジ』(1973年)等がありました。それらの試みを、現代の光源を用いてここに再構築したのではないでしょうか。また、ロビーのスケール感はとても優れており、壁と天井の全面にスクリーンを用いたことで、群を抜いて美しいものになったと感じます」と話してくれた。

　天井と壁のスクリーンは、日本の伝統柄や格子等から抽出したパターンをもとに、アルミを鋳造して特注製作したものだという。スクリーンの背後にLED光源を回すことで、全体がふわりと浮き上がるようなシーンをつくり出している。このロビー階には伝統的な和のマテリアルを直接的に使わず、抽象度の高い独自のデザインとし

窓際席からは日本庭園を見下ろすことができる

1

ロビーに一歩入った瞬間から、白いスクリーンに包まれる感覚となる

1階平面図

て表現した背景には、杉本さんが常々口にしていた、デザインとは「創造する行為」であり、「前進させなければならない」という思想があったはずだ。

　杉本さんのデザインに対する姿勢をよく示す、晩年に受け取った強烈なメッセージがある。姿勢というより、生き様といったほうが適切だろうか。現代に至る商業空間のデザイン、インテリアの潮流に対する自身のあり方を語る言葉だったのだが、「そういった流れに激しく逆らい、あるいは闘い、熾烈な闘争を通じて次に進み、流れをつくってきた」と。また、20年にわたり大学で教鞭をとってきた中で、一貫して伝えてきたのは「創造は闘って完成する」ということだった、とも。杉本さんにとって、空間をデザインする行為は、常に、既成概念や他者がこれまでに行ってきたデザインの殻を打ち破り、闘いながら導き出すものだったのだ。

ホテルのキャラクターとなる、色褪せない意匠

　「ハイアット リージェンシー 京都」では、1階のロビーを挟んで、螺旋階段の上にはイタリアンレストランやペストリーブティックが、地下には日本料理店が配されている。ロビーでは古材等を一切使わず、一方で2階や地下1階では、現代的なデザインの一要素として古道具等のアンティークを散りばめた対比もおもしろい。歴史ある京都だけに本物を見たければ街に出ればよいと考え、ロビーでは、古都のエッ

センスだけを抽出し、あえて現代的なデザインとして見せることに目的を絞ったからこそ到達できたアイデアだったのではないだろうか。このロビーを通り抜けることで、街で浴びた歴史への意識がリセットされ、その後に訪れるレストランでは、時間の流れを再び新鮮なものとして感じ、料理を楽しむことができるシークエンスを考えたのではないかと想像する。

先ごろ、7、8年ぶりに現地を訪れてみたが、ロビー空間は、ここまで色濃くデザインをした上で、今なお古さを感じさせない魅力がある。筆者がすっかり感化されているというバイアスはあるかもしれないが、スーパーポテトが考えるコンテンポラリーな和のデザインで、伝統的な美さえもねじ伏せにいったような感覚は、初めて訪れた時から変わらない。

2006年の開業から十数年を経て、和洋折衷や和の新解釈を試みたホテルは京都に数多くオープンしてきたが、スーパーポテトの思想を込めたデザインがハイアットのキャラクターとなり、今もなおゲストを魅了する理由だと考える。"思想を込めた"と言うのは、誰が見てもスーパーポテトの仕事だとはっきりわかるような、アイデンティティーを築き上げたデザイン事務所だけが放つことのできる"輝き"と言ったら、よりわかりやすいだろうか。白一色のスクリーンに包まれたオールデイダイニングから苔のある石庭を見下ろす窓際の席では、新旧の美意識を重ね合わせて体験できるので、ぜひおすすめしたい。

最後に、世界と闘い続け、実績を残してきた杉本さんのデザインに対する考え方と人柄の片鱗がうかがえ、筆者にとっては大きな学びとなった一言を紹介したい。閉店した後も伝説となっているスペインのミシュラン三つ星レストラン「エル・ブジ」について雑談をしていた時の言葉だ。「エル・ブジは料理もプレゼンテーションも素晴らしかった。しかし、日本で口にする旬の野菜、例えば大根を出汁で煮ただけのような料理も美味しいだろう」と。杉本さんが何を言いたかったかというと、世界の超一流を知っておくことは大切であるが、肝心なのは、名声に流されるのではなく、自分の中に確かな判断基準を持っておけ、ということだったのだろうと今は思う。杉本さんは、時に大好きな食べ物の話や新宿のゴールデン街で飲んだ昔話を織り交ぜながら語ってくれたが、デザイナーというのはただの職業ではなく、デザイン、生活、食というのは、すべてが地続きであるという、根元的なことを伝えようとしていたのかもしれない。

02 ホテル クラスカ (2003年)
伝統の手仕事を再構成する —— 真鍮鋳物の照明と漆塗りのカウンター

1 | 布のテクスチャーのある漆塗りのカウンターと、真鍮鋳物の照明がゲストを迎える。

　2020年12月、「ホテル クラスカ」は建築の老朽化に伴い、惜しまれつつ閉館した。クラスカは、「ロビーを遊び場にする」ことをコンセプトに掲げ、当時、30歳前後のクリエイターと事業者が一丸となって開発されたプロジェクトだ。それまで泊まりに行くところという認識だったホテルを、ロビーのカフェに行けば誰か知り合いに会えて、週末は深夜までパーティーで賑わう場へと変貌させた。日本ではそれまで見られなかった、ライフスタイルホテルの先駆けと言えるだろう。

伝統工芸の再編集

　クラスカをデザインの観点から見ると、二つの特徴を挙げることができる。築30年以上を経た建物を生かしたリノベーションだったこと。そして、日本の伝統工芸を現代のクリエーションとして再編集したことだ。かつて、「ホテルニュー目黒」として創業当時にエスカレーターがあった場所は吹き抜けとなったり、古い公共建築のような佇まいの階段は、この建物が築30年以上を経ていることを示す場所としてそのまま使われていたりと、新築物件にはない、ある種の違和感がこのホテルの独特の魅力となっていた。

　そうした特殊な与件に対して、このホテルにふさわしい居心地をつくるという視点から、徹底的にオリジナルの素材で内外装をデザインしていったのは、建築からプロダクトまでを分け隔てなく手掛ける、インテンショナリーズだ。デザインを牽引した鄭秀和さんは、「日本を発信すること」「デザインされつくしたノンデザインホテルをつくること」という二つのテーマをもとに設計にあたったと振り返る。世界から見た日本、アジアにおける日本という視点を強く意識し、ロビーのある1階では日本の伝統素材が多用され、一方、上階の客室では、バリやタイで買い付けたものを織り交ぜたことで、現代のアジアを感じさせる雰囲気が、海外のみならず、国内から訪れる客層にも新鮮な印象を与えた。

　ホテルの顔となるロビーのレセプションカウンターには、布目のテクスチャーが見

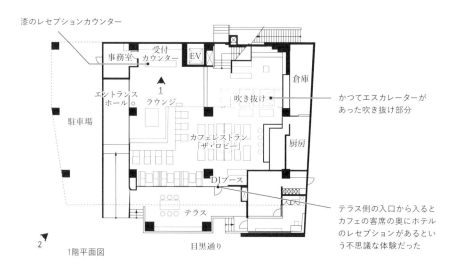

漆のレセプションカウンター

事務室　受付カウンター　EV

エントランスホール　ラウンジ　①

駐車場

カフェレストラン「ザ・ロビー」

吹き抜け　倉庫

厨房

DJブース

テラス

目黒通り

1階平面図

かつてエスカレーターがあった吹き抜け部分

テラス側の入口から入るとカフェの客席の奥にホテルのレセプションがあるという不思議な体験だった

えるように漆塗りで仕上げた、繊細な凹凸のある素材が使われ、その天井からは真鍮鋳物のペンダント照明が吊られるといったように、日本古来の職人技を、ぱっと見て伝統工芸とはわからないようなデザインに生かすことで、何度か訪れるうちにその個性に気づくような表現がなされていた。また、カフェのベンチには七宝柄からインスピレーションを得た、透かし模様の背板が用いられていたり、ブナコという、薄く加工したブナ材を巻きつけて成形する、青森県で1950年代に生まれた技術を用いた照明器具があったりと、細部にまで日本オリジナルの素材や意匠が散りばめられていたことが、海外から訪れるゲストの「東京に行くならクラスカへ」という口コミを呼び、ホテルとして長く愛される一因となったのは間違いない。

つくり手の環境をも変えるという思い

　日本全国の職人とのネットワークを持ち、インテリアや建築に用いる特注品のものづくりを得意とするubushinaと共につくり上げた特徴的なエレメントについて、「食器に使う漆をカウンターに用いたり、仏具をつくる真鍮の技術で照明器具をつくったりと、従来の使われ方と全く異なるアウトプットをしていくことはとても楽しい経験でした」と鄭さんは振り返る。2000年前後を思い返すと、日本の食文化への世界的な関心は高かったものの、伝統工芸と言えば土産物等のプロダクトと位置付けていた筆者の中では、"現代の空間"と"伝統工芸"の接点は想像したことがなかった。鄭さんに当時の伝統工芸への印象を尋ねると、「日本の素材や技術には大きな可能性を感じていましたね。また、各地のつくり手が後継者不足で存続の危機にあることも知っていたので、このホテルのデザインに生かすことで、日本の伝統工芸が一つ上のステージにいけるはずだと、設計した当時はそんな社会的意義のようなことまで考えていました。工芸の技、テクニックへの関心よりも、海外からの注目を集めることで、ものづくりの環境を変えられるのでは、という俯瞰した目で捉えていたように思います」とも語ってくれた。

デザインの痕跡を消す

　また、逆説的にも聞こえる"ノンデザイン"という言葉の真意を鄭さんに尋ねると、「わざわざデザインを見せたいわけではないし、自分がデザインした建築や空間において伝統工芸の技を強調したいわけでもありません。徹底的にデザインをしてい

るが、その痕跡を消し去りたい、という意識が
いつもあるのです。また、元々インテリアデザイ
ンの出身ではないので、建築的な時間軸でより
長く使われるものを考えていくところがあると思
います」とのこと。伝統工芸の使用もデザインも、
声高に主張するようなものではなく、あくまで心
地良い空間をつくるための手段という意識なの
だろう。プロダクトでも建築でも、短期的な流行
に流されない価値を見据えて取捨選択をしてい
くインテンショナリーズの思想が、このホテルに
結実している。1階はどこにいてもカフェの活気

2｜目黒通りのランドマークとなった外観。

が感じられる構成で、カフェ奥の洋書店や、目黒通り側にはペットトリミングサロン
が同居した業態ミックスのおもしろさ、どう座ればよいのか戸惑うようなロビーの大
きなベンチ等、いわゆるチェーン展開するホテルとは全く異なる様相が、クラスカ
での時間を特別なものにしていた。
　一方、ホテルニュー目黒時代には上層階はすべて客室だったというが、一部を
オフィスや長期滞在用のフロアに割り当て、客室は4階と5階のわずか9室に限定し
て開業を迎えた。スイートルームには屋外でくつろぐことのできる大型のバルコニー
が用意され、コンパクトな客室では窓際にバスルームとトイレを配する思い切った
レイアウトにより、日本ではありふれていた狭小ユニットバスでの体験とは異なる、
新たな価値を提示していたことも印象深い。
　今振り返ると、このホテルにおけるリノベーションは、歴史的に価値のある建築
の再生とは全く異なる文脈で、築30年を経た空間を新たなソフトの入れ物として最
適化し使い倒す、という取り組みだったと感じる。その後、内装を剥がし、荒々し
いスケルトンを見せつけるかのようなリノベーションが2010年以降に盛んになるが、
その手前の段階として、名もなき建築を遊びがいのあるキャンバスとして、ポジティ
ブに手を入れていく手法は、このクラスカから確立されていったと思える。都心部
に比べれば利便性に劣る立地にありながらも、このホテルが建築の寿命を全うす
るまで愛されたのは、オリジナリティ溢れるコンセプトに強度があり、時代に流さ
れないデザインの魅力がそれを支えたからだろう。

03 松虎（1997年）

最小限の光で漆黒の闇をつくる‐──カウンターの手元灯り

1｜真っ暗なバー「松虎」の店内に据えられた御影石の炉。右奥に見えるのはサービスカウンター。

　東京・恵比寿、渋谷橋の交差点に面したビルの2階で1997年から営業を続けるバー「松虎」。設計したのは、高取空間計画の高取邦和さんだ。

　高取さんはカルバンクライン等のファッションストアから飲食店、百貨店や博物館まで、幅広い空間を手掛けたインテリアデザイナーであり、かつては東京藝術大学で同級だった杉本貴志さんと共にスーパーポテトを立ち上げたことでも知られる。「松虎」は、設計に至る経緯も高取さんらしいストーリーなので、まずはそこから紹介したい。

"静"の松下、"動"の松虎

　恵比寿に事務所を構える高取さんは、当時から通っていた寿司店「松栄」の代替わりしたばかりのオーナーに請われて1992年に改装を手掛けた。すると、従来の寿司店のイメージと一線を画したシンプルでモダンなデザインが話題を呼び、人気店となる。その後、松栄に入れないお客さんのためのウェイティングバーとして、50m程離れた空きテナントに、これも高取さんが設計した「松下」(1995年)が開業。さらに、今度は松下が連日満席となり、姉妹店としてJR恵比寿駅を挟んで徒歩5分程の場所に計画されたのが「松虎」だ。

　もちろん、インテリアの魅力のみならず、サービス、料理や酒と店の雰囲気のすべてが連動して夜な夜な人が集う場所となっていったわけだが、松虎以降も蕎麦店の「松玄」(1999年)、スペインバルの「18番」(2004年)等、同じオーナーと時流に合わせた業態の定番店を生み出していった一連の店づくりは、競合がうらやむパートナーシップだっただろう。

　そんな経緯で生まれた松下のコンセプトを継承する、松虎の魅力を一言で表すならば、暗闇のバーである。インテリアの核となるのは円柱形をした御影石の炉であり、お客はそこで炙った干物や野菜等をつまみに、アルコールのあるひとときを楽しむ。レイアウトについては、店舗中央に据えた炉を囲むようにして、先にオープンした松下では直線のバーカウンター三つが直交するコの字型に、2号店である松虎では三角の店舗区画に沿うような変形カウンターを複数並べており、高取さんは"静"の松下、"動"の松虎とそれぞれの性格を説明していた。高取さんが存命でない今となってはその意図を聞くことは叶わないが、店内に炉を設けたのは大自然の中で見る炎からインスピレーションを得ていたこと、そして、空間を形づくる素材は陰陽五行の考え方から、「木、火、土、金、水」にまつわるものが選ばれた、という設計時のエピソードを夫人の沙衣樹さんが教えてくれた。

"暗さ"をつくるための手元灯り

　そして、このバーの最大のポイントである"暗さ"を具現化したのが、カウンター上に備えたられた手元灯りである。座った人の目線よりやや下に水平に据えたスチール角パイプの下面にテープライトを仕込み、机上面だけをわずかな照度で照らすライン状の器具だ。松下を設計した当時に、所員として高取空間計画に在籍し

暗闇の中でゲストの視線を集める店内中央の炉

引き戸を開けてもすぐには客席を見せないアプローチも効果的

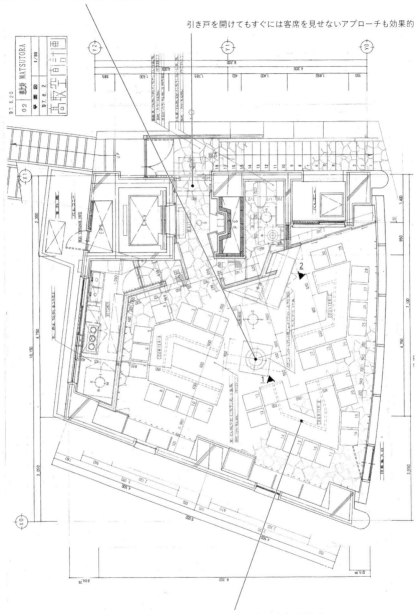

三つのカウンター上にそれぞれ設けられた手元灯り

平面図

2 | 変形コの字形のカウンター上には、それぞれに机上面を照らす手元灯りが設けられている。

ていた中村隆秋さんによると、これといった特徴がなく天井の低いビルの2階の狭小区画で、炎を際立たせるために天井には照明を付けたくないという高取さんの考えを実現するため、当時、間接照明等に使われていたテープライトでタスクライティングができないかを試行錯誤し、水平に据えた手元灯が生まれたという。カウンター天板上の30cmに満たない高さにあるのは、人の目線よりも下で、手元だけを照らす目的のためだ。

　設計段階にモックアップでその効果を確かめていた中村さんだが、「バーが開業し、実際に暗闇の中でカウンターに座ってみると、この照明を境に“結界”ができた」と、想像以上の驚きがあったことを明かしてくれた。また、漆黒の空間の中で、炉があるサービスカウンター側から、スッと手元灯りの下を通してドリンクが出てくるという演出上の効果もとても大きかったという。

　手元だけを間近の光源から照らすという機能から導かれた照明は、舞台の演者

3｜水平に走る手元灯りが初めて採用された「松下」。カウンターは炉を挟んで並行にある。

と観客のような関係性をつくり出したのだ。高取さんと、この店の竣工写真の撮影者である写真家の白鳥美雄さんと三人で幾度か訪れたことがあるが、炉でそら豆を焼く人の姿が影絵のように美しく見えたことが深く印象に残っている。

会話を妨げないよう配慮された支持材

　手元灯りの形状については、コーナー部分のデザインにも、高取さん独特の工夫があったように思う。平面的に見て、カウンター天板に沿って角パイプが折れ曲がる部分の真下ではなく、わずかにずらして垂直の支持材を付けていたことだ。そうすることで、コーナーに座ったお客同士の間を遮ることなく、心地良く会話ができるようにしていたのだろう。その後、この高取さんお気に入りの手元灯は同じオーナーによる系列店や、全くの別店舗でも採用されるが、支持材は一貫して、コーナーを避けて配置されていた。

　「本物の素材にこだわり、100年経っても魅力があるような普遍性のあるデザインをいつも追い求めていた（沙衣樹さん談）」高取さんは、カウンター天板の素材にもこだわり、表面にチェーンソーの跡が残る手触りのあるブビンガの無垢材を用いた。

　開き戸ではなく、重厚な引き戸から店内に入るアプローチ、入店してから目が慣れるまでに時間が掛かる程の暗さ、そこで指先から感じる天板のテクスチャー、BGM を流さずにパチパチと炭が静かに燃える音、そうした五感に訴えかけるあらゆる体験が、このバーで過ごす時間を印象深いものにしてくれる。障子や格子といったアイコニックな和風の要素があるわけではないが、暗さ、錆びた鉄の質感、無垢材の重みからは日本的な美意識を感じずにはいられない。

　恵比寿というホスピタリティービジネスの激戦地で、開業から25年が経過してもいまだ深夜に満席となるバー。オーナーとの二人三脚で生まれ、大切に使われ続けてきた、現代の日本を代表するバーの一つだ。

04

ザ・ペニンシュラ東京 (2007年)

素材と職人技を生かしきる ── 千本格子を背景とするシャンデリア

1 | シンメトリーにデザインされたロビー中央にはドーム状のシャンデリアが吊られた。

日本らしい感性が表現された、香港上海ホテルズ社が経営するラグジュアリーホテル「ザ・ペ
ニンシュラ東京」。2003年の「グランドハイアット東京」、2006年の「ザ・リッツ・カールトン東京」
等、都心部に外資系ホテルが続々と進出し、客室過剰となる「2007年問題」が世間を賑わせるさ
中、2007年9月に東京・日比谷の皇居外苑と日比谷公園の向かいにオープンしたホテルだ。ロビー
と客室、スパやボールルームのインテリアデザインは、橋本夕紀夫さん（橋本夕紀夫デザインスタ
ジオ）が手掛けている。当初は海外デザイナーの設計により開発が進んでいたが、「ホテルが建
つ土地の文化を取り入れる」というグループの経営哲学のもと、より日本らしいデザインを目指す
ために再度ブラインドコンペが実施され、指名を受けたのが橋本さんだった。

ホテルの顔となるドーム状のシャンデリア

　ホテルの顔となるロビーでは、千本格子を壁に用いたシンメトリーなレイアウトの
中央、視線を受け止める位置に竹製のオブジェが置かれ、上部には蛍の光をイメー
ジした巨大なドーム状のシャンデリアが吊られている。1000以上のクリスタルを整然
と配したこの照明は、シャンデリアと呼ぶよりもアートワークのような静謐さが魅力
だ。橋本さんの仕事には、無垢材や石等の自然素材を生かした事例が多いため、オー
センティックな和のデザインを得意とするイメージを持つ人も多いかもしれないが、
ファッションから飲食までデザインの幅は広く、こと照明の使い方ではさまざまな
チャレンジを重ねてきた。「ザ・ペニンシュラ東京」以前には、グラスファイバーを縄
のれんのように用いた和風ダイニングバー「庭燎」（2004年）や、土壁内にLEDを
埋め込んだクラブ「ミュゼルヴァ 祇園」（2004年）等、訪れた人があっと驚くような
光の使い方を試みてきた橋本さんにとって、このロビーの大空間の中心にクリスタル
とLEDを合わせた光を大胆に用いることはごく自然な流れだったのかもしれない。
　昨今の都心型ラグジュアリーホテルは複合ビルの高層部にホテルがあるケースが
多く、エントランスからエレベーターを経由してロビーに至ることが多い。しかし、
一棟建てにこだわりを持つペニンシュラだけに、ここには車寄せからエントランス
を経て広大なロビー空間に至るホテルらしいシークエンスがあり、その象徴として
この現代的なシャンデリアが機能している。古くは「ホテルオークラ東京」旧本館の
行灯照明、また近年では「アマン東京」の光天井のように、ホテルを象徴する意匠
はあるが、ホテルの顔としての存在感、エントランスからロビーに至る体験としては、
この「ザ・ペニンシュラ東京」を東京のラグジュアリーホテルのベスト1に挙げたい。

職人が誇りを持てる仕事

そして、シャンデリアの下を通り抜けてレセプションカウンターで待ち受けるのは、左官職人の挟土秀平さんが手掛けた版築の壁だ。自然な土の色の違いが生み出すグラデーションは、ただ美しいだけでなく、人の手がつくりだすものの価値を見せてくれる。

このホテルでは、左官の挟土さん以外にも、和紙の堀木エリ子さん、キモノデザイナーの斉藤上太郎さん等、橋本さんが声を掛けた数多くの作家、職人達とコラボレーションしていることも大きな特徴の一つだ。「信頼関係のある職人さんには思い切って任せるし、どんどん提案してもらう。そうすることで、こちらが思っていた以上のものができるんですよ」と橋本さんは生前よく語っていた。売れっ子デザイナーとなり多忙な日々を過ごす中でも、「産地や工房を訪れると今まで知らなかった発見がある」とうれしそうに話す姿が印象に残っている。「講演会等で、"超他力本願主義"なんて本人は冗談のように言っていましたが、そうして任せた結果、皆さんが誇りを持って自分がやったと思える仕事となったのだと思います」と長年橋本夕紀夫デザインスタジオの代表を務める、夫人の角倉小百合さんは振り返る。決して偉ぶらない橋本さんの人柄と職人から学ぶ姿勢が、プロジェクトの成功の源になっていたのは間違いない。

長く愛される空間をつくりたいという思い

客室では、トチの無垢材を用いたスライド扉の印象が強烈だった。高さが2600mmある引き戸の両サイドに耳付きの無垢材を組み合わせたもので、これが314ある客室のすべてにあるのだ。「このホテルのデザインでは、橋本は本物を使うことに何よりこだわっていました。途中、コストの調整をしなければいけない状況でも、トチの扉と天井の網代は、絶対に実現しなければいけないと強く主張した部分でした」と小百合さんは振り返る。この扉と織り上げ天井内に貼られた網代編みは、長年橋本さんとの仕事を手掛けてきた、齊藤寛親さん率いる木曽アルテック社が手掛けたものだ。実現までには、すべての扉の検品が必要となり、基準を満たさないものを交換する等費やした手間は相当なものだったというが、その結果、素材の持つ力強さが込められたデザインとなっている。

また、橋本さんがプレゼンテーションを重ねる度に、依頼される範囲が広がり、

最終的にはスパやプール、バンケットのデザインまでを任せられた背景には、要件を表現するデザイン力に加え、限られた時間内に的確な提案ができるマネジメントがあった。かつて、橋本さん、小坂竜さん、森田恭通さんの三人をゲストとした座談会の合間に、この三人程90年代〜00年代にレストランを数多く設計したデザイナーは世界にもいないんじゃないかという雑談で盛り上がったことがあった。そんな話を裏付けるように、小百合さん曰く「日本の飲食店オーナーの細かい要望を聞き、3ヵ月、4ヵ月という短期間で形にしていった経験は、開業までに時間がないペニンシュラのプロジェクトで大いに生かされた」と明かす。

　「本物の素材を使い、長く愛される空間をつくりたい」という橋本さんの考え方がいかに一貫していたか、そして実際にクライアントを魅了していたことを示す事実がある。かつて、1990年代に橋本さんがデザインした西麻布の「軍鶏匠」という

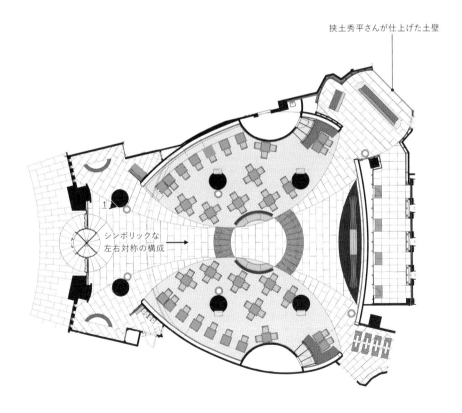

挟土秀平さんが仕上げた土壁

シンボリックな
左右対称の構成

1階平面図

2｜客室のスライド扉には無垢材を大胆に組み合わせた。折り上げ天井にはスギの網代編みが貼られている。

焼き鳥店は、オーナーが変わるに連れて店の姿が変わっていったという。しかし、時を経てかつての店長がその店のオーナーとなり、竣工当初の状態に戻してほしいという依頼を受けたことを、とびきりの笑顔で教えてくれたことがあった。スクラップアンドビルドが当たり前の飲食の世界、それも東京の最激戦区、西麻布でのことである。クライアントが愛着を持ち、また、食事に訪れる顧客に愛されたデザインだったゆえに、店主は元に戻す決断をしたのだろう。

　そんな、一貫して長く愛される本物にこだわり続けた空間デザイナー、橋本さん。1962年生まれの橋本さんが、40代前半で国際的な五つ星ホテルのコンペを勝ち取り、その成功をもとにさらに躍進していった実績は、橋本さんに追いつき、超えていきたいという野心ある日本のインテリアデザイナーにとって大きな目標となり続けるだろう。

05 堀江 ブルー (2008年)

運河沿いというロケーションから発想する
—— 造船技術を用いた船型バーカウンター

1 | 造船技術を用いた船型カウンターをエントランス側から見る。上部は澤田広俊さんによるアート。

　店舗を象徴する意匠というのは、飲食店であれば特徴的な個室であったり、巨大なワインセラーであったり、その時々の流行と共に思い出すものがあるが、敷地のコンテクストとぴったり合致したものとして強烈に記憶に残るのが、ここに紹介するモダンチャイニーズレストラン「堀江 BLEU（ブルー）」のバーカウンターだ。

　全席リバービューをうたう同店には、エントランスの目の前に巨大な船型の鉄製カウンターがあり、真っ青な光の演出の中で賑わうシーンと、重厚なカウンターの手触りが印象深い。インテリアデザインを手掛けたのは、cafe co. を率いる森井良幸さんだ。

造船技術で製作された鉄製のカウンター

　道頓堀川に面する全長130m超の敷地に新築された商業施設「キャナルテラス堀江」に、施設の開業と共に堀江ブルーがオープンしたのは2008年。元々堤防沿いの洗車場だった場所で、cafe co.のデザインにより、DJブースやバーカウンターを設け人気店となっていた同名の店舗が、エリアの再開発に伴い移転リニューアルしたものだ。日建設計が手掛けた2階建てのビルには東西2棟に飲食店が計5店入る構成で、交差点に面した施設の顔となる位置に計画されたのがこの店舗だった。

　「移転前のブルーを超える店をつくろう！と計画が始まり、実は当初は四角いバーカウンターを提案していたのですが、運河沿いのこの場所に対してあるべき形をずっと考えているうちに、この船型を思いついてしまった」と森井さんは振り返る。その直感から導かれたのが、鏡鉄と呼ばれる曲げ加工の技術で成形された、幅およそ2m、全長13.5mの巨大な鉄製のバーカウンターだ。内装工事の枠を超えるこのカウンターの製作を任されたのは、気仙沼を拠点に造船技術を建築に応用する高橋工業である。

ブルーの光とアートの効果

　カウンターの端部は、店舗の入口側を向いて船の舳先のように突き出しているが、「この先端が浮いたような感じが狙い通りに実現できたのがうれしかったですね。厚みのある鉄板を溶接してつくっているから、側面にあるひずみもFRPやモルタルでは出せない独特のもので気に入っています」と森井さん。カウンター天板にはゼブラウッドのフローリング材を用い、スタッフの手元側には、ガラス内に色を変化させられる光源を全周に回し、青い光を放つ仕掛けが施された。15年近く営業した現在では、カウンターの人の手が多く触れる部分では、鉄板に残る傷が店の歴史を表す風合いとなっている。

　高天井を青く照らし上げたライティングも、この店舗を印象付ける大きな要素だ。光が溜まるよう曲面で仕上げたカウンター上部の天井は、当時手に入るようになったばかりのRGBに調色できるアッパーライトで照らされ、リバーサイドシート側の傾斜天井には店内が映り込む黒いカラーガラスが張られた。最高部の天井高さが4mあるカウンター上には、アーティストの澤田広俊さんによる、泡とも貝殻とも見えるような光を受けてきらめく無数のオブジェが設置されており、ブラックガラスに

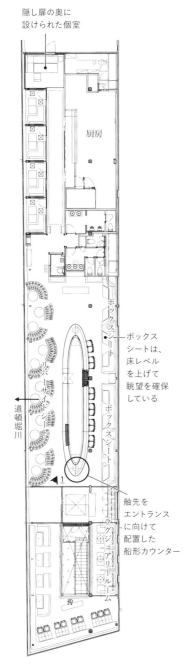

隠し扉の奥に
設けられた個室

厨房

ボックス
シートは、
床レベル
を上げて
眺望を確保
している

道頓堀川

軸先を
エントランス
に向けて
配置した
船形カウンター

平面図

映る鏡像の効果と共に、この空間の非日常性をいっそう高めている。

遊び心を込めたディテールと機能的なレイアウト

　店内は、窓際のリバーサイドシート、床を一段あげて、バー越しに川を見るカウンター席、ボックスシートよりもさらに一段床レベルを上げた、壁際のボックスシートという3種のレイヤーがあり、全席リバービューの機能的なレイアウトとなっている。カウンターの背後には、窓際に個室が5室。個室へ至る通路は船内のような雰囲気であり、それだけでも期待は高まるが、ゲストを喜ばせるのは通路突き当たりのミラーでカモフラージュされた引き戸内に設けられたスペシャルな個室だろう。ヨット内のようにチーク材が壁から天井までをシームレスに繋ぐインテリアのもと、リバービューが楽しめるという贅沢な空間だ。他にもカップルシートを配した屋外テラス席やシャンデリアを吊った特別室等、細長い建物形状を使い切り、デートからパーティー対応まで、求められる客席バリエーションを網羅したレイアウトとなっている。

　当時、とにかく全力でデザインに取り組んだという森井さんは「移転前の店舗の記憶を建具で伝えたり、店内に飾る写真、個室のドアハンドル、DJ ブースのスピーカーに取り付けた『Bleusound』という文字に至るまで徹底的に遊びました」と細部へのこだわりを振り返る。提供するメニューは時代性に合わせてアップデー

トしているが、オリジナルの要素で丁寧につくり込まれた空間の骨格は開業時のまま今も生かされている。

大胆な"編集"から生み出されるエレメント

　こうした街場の飲食店から、大型商業施設の環境デザイン、ギャラリーや宿泊施設まで多岐にわたる cafe co. の仕事は、特定のキーワードでくくることが難しい。森井さんに取材する度にデザインコンセプトを尋ねると、そんな難しいこと聞かれても何もないですよ、と煙に巻かれてしまうのが常だが、デザインのプロセスを聞くと「クライアントの要望を丁寧に聞き、それらとロケーションから考える。だから、できあがるものはいつもバラバラになる」と笑う。彼らの仕事の中で、最近訪れて繊細な仕上がりに興奮を覚えたものに、先ごろ急逝してしまった高橋大雅さんのブランドの直営店「T. T」があるが、ここでも、森井さんはクライアントが望むものをつくるお手伝いをしただけと素っ気ない。しかし、現代性を持ち合わせながら日本古来の感性を感じさせる「T. T」の設えも「堀江 ブルー」も、アウトプットは全く異なるが、敷地と求められるストーリーから真摯につくり込んでいく結果だとすれば、その過程に違いはないのかもしれない。そして、大規模なものでは、このカウンターのように、飲食店の基礎となる部分にオーバースペックとも言える船の構造をもってきてみたり、一方では木工作家が手仕事で削り出した座面に別の鉄工作家による脚を組み合わせた飲食店のスツール等、森井さんによる"編集"的な視点で生み出されたデザインには、その店舗が長く愛されるためのエッセンスが凝縮しているように思う。このバーカウンターは、40年50年経ってもびくともしないものだけに、リバービューを誇るこの立地で今後どのように経年変化していくかが楽しみである。

06 アシエンダ デル シエロ（2011年）

大胆なアートで表すスピリット
—— 2万個のクリスタルで描くパイソン柄

1｜吹き抜けに吊られたパイソン柄の巨大シャンデリア。カウンター腰も同じ意匠で仕上げた。

客席数200、巨大なテラスを備えたモダンメキシカンのレストラン「アシエンダ デル シエロ」は、都内で人気のレストランを数多く経営する、新川義弘さん率いる HUGE（ヒュージ）のレストランだ。代官山の八幡通り沿いの立地でテラスを含め約400㎡の大箱、それも人気の手堅いイタリアン業態ではなくメキシコ料理での出店ということで、開業当初から大きな話題となったレストランだ。デザインを手掛けたのは、これまでにハワイで地元誌のベストニューレストランに選ばれた「リゴ」（2019年）等いくつもヒュージの人気店をデザインし、現在も仕事のほとんどが飲食店という SWeeT の佐野岳士さんだ。佐野さんは、内装施工会社で現場監督として勤めた後、グローバルダイニングの一員としてデザインの経験を積んだ後に独立した、飲食業界をよく知るデザイナーだ。

メキシコの空気をもってくる

　この店舗を訪れる人がみな度肝を抜かれるのは、吹き抜けに吊られた、全長5m のパイソン柄、つまりニシキヘビのパターンで、らせん状にデザインされたシャンデリアだ。そして、シャンデリア下には同じくパイソン柄に輝く、内照式のカウンター。来店者の動線は、ビルのエレベーターで9階まで上がり、ヒュージの定番とも言える細い通路を抜け、大空間にたどり着いた瞬間に、この巨大シャンデリアが迎えるというドラマチックなレイアウトとなっている。

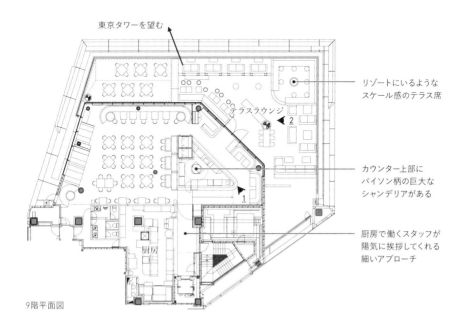

東京タワーを望む

リゾートにいるような
スケール感のテラス席

カウンター上部に
パイソン柄の巨大な
シャンデリアがある

厨房で働くスタッフが
陽気に挨拶してくれる
細いアプローチ

テラスラウンジ

厨房

9階平面図

メキシカンレストランを計画するにあたり、オーナーの新川さんとメキシコシティとロサンゼルスに視察に行った佐野さんは、「現地の空気、そこで体感したノリを持ってこようと試みた」と語る。シャンデリアのデザインについては、アステカの創造神であるククルカン（羽を持つ蛇）からインスピレーションを得たものだ。デザインについての苦労を尋ねると、「ヒュージとの仕事では、まず新川さんに大筋のゾーニングとオペレーション動線を決めていただいてから僕が好きなようにデザインを提案し、それに対して意見をもらいながら進めていくので、大きなシャンデリアの搬入や養生等は気を使いましたが、設計上の苦労というのはほとんどありませんでした」という。グローバルダイニングの副社長を経て起業した新川さん、そして、当時は同じ社内で店舗開発に携わってきた佐野さんとの信頼関係がうかがえる。

記憶に刻まれる個性をデザインする

　この店舗を象徴する、ヘビがとぐろを巻いたようなシャンデリアは、ワンオフのアートワークや特注家具の製造を得意とするザ・ヴィンテージハウスの協力なしには成し得なかったという。パイソン柄を描く約2万個のクリスタルは、鎖帷子のよう四隅を連結して固定されているが、吊り元となるフレームがらせん状に傾いているため、正方形の既成パーツでは歪みができてしまう。そこで、上下をフレーム角に合わせて斜めに7度カットした、ひし形のオリジナルパーツをつくることで滑らかな曲面が実現している。

　「一度訪れたお客さんには、あのパイソン柄の巨大シャンデリアがある店と記憶してもらいたい。料理は美味しいだけではなく、そこに一捻り加えることで印象に強く残ると思いますが、インテリアでも何か一つ覚えてもらえる個性をつくりたいと考えています」と特注オブジェに込めた狙いを語ってくれた。

　この店舗に限らず、これまでもホテルや飲食店のインテリアに大胆なアートを取り入れてきた佐野さんに、クライアントからストップが掛かることはないかと聞くと、早い段階で製作費を提示し、その店舗に欠かせないものとして意思を共有しておくのが成功の秘訣だという。また、これまでに見たことのないインパクトをオーナーが佐野さんに期待する結果、馬の彫刻がある和食店、マスクマンのウォールアートのある店等、飲食通の人にはその部分だけで店名が伝わるようなオリジナリティーの際立った店となるのだ。

ゲストの感情に
ストレートに訴える仕掛け

　佐野さんにインテリアデザイン
のコンセプトや理由を尋ねると、
いつも決まって「この席に座った
人が綺麗に見えるのかどうか。
夜景が見えるこの席でワインを
飲んだらどんな気分になれるか」
といったゲスト目線での話を聞く

2｜東京タワーを望むテラス席。

ことになる。まさにそんな視点から発想されたのが、この「アシエンダ デル シエロ」
のテラス席だろう。八幡通りにこんな場所があったかと驚く広々としたテラスには、
大小のソファ席や屋根付きのテーブル席が並び、東京タワーまで見通すことができ
る。昼間の開放感もさることながら、夜景の見える屋外席でモダンメキシカンとい
うマッチングの妙は、開業から10年以上を経た今も人気絶大で、「街の資産となる
レストランをつくる」というオーナーのビジョンが体現されている。

　佐野さんは理想の店についてこう語る。「レストランの主役は料理でありサービス
です。そこにプラスアルファとして僕らのデザインが合わさることで、メガヒットにな
るのだと思います。人がグワーっと集まる店舗にはエネルギーがあるし、行けば活
力をもらえる。そんな店舗をつくりたいですね」。

　かつて佐野さんが設計し、いまだ人気の「リゴレット ワインアンドバー」（2006年）
でも、席に通されるまでのわずか数秒の間に大音量の音楽で一気に体温が上がり、
さぁ今日は何を食べようかなと気持ちのスイッチを切り替えてくれる店舗だったが、
SWeeTのデザインはストレートに感情に訴えかけてくる迫力がある。レストランター、
シェフ、接客するスタッフの熱量を身近なところで見つめ、喧々諤々のやりとりを重
ねてきた経験があるからこそ、その熱量を一滴残らず伝えようとする店が生まれる
のだろう。そのレストランにしかない特別感と高揚感は、オリジナルにこだわったアー
ト、空間デザインと共に記憶に残り続ける。

07 マンダリンバー（2005年）、鮨 そら（2011年）／マンダリン オリエンタル 東京

日本の素材を手掛かりにしたラグジュアリー
—— ミラー仕上げの縦格子越しに見せる土壁

1｜土壁と鏡面の縦格子を合わせた「マンダリンバー」の壁面。手前は彫刻的なハイカウンター。（2005年当時）

日本初進出となった「マンダリン オリエンタル 東京」がオープンした2005年当時、ヒルトングループの最上級ブランドである「コンラッド東京」(2005年)や、「ザ・リッツ・カールトン東京」(2007年)等外資系ホテルの東京進出が相次ぎ、インテリアデザイン界隈では、日本人デザイナーの誰が起用されるかという話題で持ちきりだった。そんな中、マンダリン オリエンタル 東京の目玉となるレストランとバーエリアのデザインを手掛けたのが、A. N. D. を率いる小坂竜さんだ。

　彼らが開業時にデザインしたのは、ロビー階より一つ下の37階に位置する「マンダリンバー」、フレンチファインダイニング「シグネチャー」、広東料理「センス」等を含むおよそ300坪に及ぶインテリアだ。その後、2011年には「鮨 そら」を、2019年には客室のリニューアルを手掛ける等ホテルからの厚い信頼がうかがえるが、ここでは空間性と、その背後に感じられる小坂さんのデザインフィロソフィーが強く印象に残る「マンダリンバー」と「鮨 そら」(現在は営業終了)のデザインについて振り返ってみたい。

日本の素材を手掛かりにしたインターナショナルな空間

　突然のデザインコンペへの参加依頼から始まったこのレストランとバーを含む設計で、ホテル側から求められたのは、まだ見たことのない、タイムレスでセクシーな空間だったという。抽象的なリクエストに対し、小坂さんの回答は、日本の風土にある素材を手掛かりにした、"本物"で構築するデザインだった。日本固有の素材や意匠を使うと言っても、「決して和風にするのではなく、ファイブスターホテルにふさわしいインターナショナルな表現であること。伝統的な手法とは別のアプローチで、新しく、上質なものにすること」を目指したと言うのだ。

　地上からホテル専用エレベーターでバーのある37階に降り立つと、光床による浮遊感のあるエレベーターホール中央の軸線上、通路の先に四つのオブジェのようなカウンターテーブルが見えた。「エレベーターホールを出ると、まずバーがあり、突き当たりに見えるのは左官の壁。そして、左右には水と炎をテーマにした吹き抜けがそれぞれあり、各レストランへと繋がっていくという、プランの構成には強い思い入れがあります。バーに入る時の視線の動き、そして、歩きながらどう感じられるかを一つひとつ丁寧に考えました」と小坂さんは振り返る。

　エレベーターホールから出る通路の正面を、バーカウンターで受けるか否かは悩みに悩み、バーカウンターを中央に設ける定石のレイアウトでは納得できず、アートのような存在感のあるカウンターを並べる案に至ったという。アッパーライトで光らせたガラスボックス内に4本の角材を据えたスタンディングカウンターは、背割りし

た角材の内側に一部だけ職人の手で彫刻を施す等、細部まで凝ったものとなっていた。

　そして、カウンターの背後には、このフロアのデザインコンセプトを象徴する土壁がある。陰影深く仕上げた土壁の手前には、見付を含む3面を鏡面仕上げしたステンレス製ルーバーを配することで、正面から見ると奥が見えるが、斜め方向から見るとミラーにより背景がどこまでも映り込む効果を狙ったものだ。左官の技術、縦格子は、完全に日本のボキャブラリーでありながら、そのサイズ感、光の当て方、ミラーとの組み合わせにより、洗練性と手わざの痕跡が共に感じられるものとなっている。この壁面に限らず、スギ板の鎧張りに独自の解釈を加えたディテール等、随所に日本建築のエッセンスを散りばめることで、和の世界観がそこはかとなく感じられる優美な空間となっている。

漆黒の空間に隠された緻密なディテール

　バーの一つ上階にある「鮨 そら」は、ホテル開業の6年後にオープンしたわずかカウンター8席のみの小さな店舗だ。窓外にスカイツリーを望むビューを生かすため黒一色で設えたインテリアの中央には、木曽ヒノキの木目の美しいカウンターが浮かび上がって見えた。小坂さんは、「伝統的な寿司店とは全く異なるデザインが必要と考え、入った瞬間には漆黒の闇の中で夜景だけを見せ、その後、徐々に目のピントが合うにつれて、黒い部分の表情が見えてくる空間をつくりました」と語る。主役となる寿司職人や夜景を引き立たせるために、黒一色のトーンの中には緻密なデザインが隠されていた。カウンター席から夜景が見やすくなるように、わずかに角度を振ったレイアウト、シンクには光を反射しないよう黒御影石を用い、カウンターバックにはタイルの切れ端を寄せ木のように合わせ、それを市松模様に貼ることで複雑なテクスチャーを与えていた。

　また、この空間で忘れられないないのは、アプローチと客席間に立てられたスチールの線材を溶接したパーティションだ。これは、水墨画の筆使いからインスピレーションを得た小坂さんのイメージをもとに、アーティストの宜本伸之さんが手掛けたもので、エントランス側から見ると、座席に座る人は見えづらく、上部は夜空が透けて見えるという、このスペースに最適化した設えとなっている。そうした一つひとつのディテールを追求した結果、ブラックアウトした背景に映える盆栽や、

2｜宜本伸之さんによる、繊細な円弧を組み合わせたパーティション越しに見る「鮨 そら」の客席。（2011年当時）

パーティションから落ちる影、琉球ガラス製つくばいの水の揺らぎといった情景が、訪れた人の記憶に残る店となっていた。

先人への敬意と、独自のアプローチを追求する姿勢

　マンダリンバーと鮨そらの設計において、共通するのは自由度が高い反面、自らと対峙する大きな緊張感があったことだという。「自分のスタイルを探し求め、それを確立していく過程での大切な仕事であり、これまでの経験の中でも、特に自分の内面が現れたプロジェクトだと思います」と振り返る。さらに、デザインの背景にある、こんな思いも明かしてくれた。「日本にある素材を生かそうとすると、先人達のデザインを避けて通ることはできません。例えば、倉俣史朗さんのアーティスティックな手法や、杉本貴志さんのように石の塊を使ったデザインをしても絶対に勝てないし、そこを追いかけるべきではない。石を使うのであれば逆のアプローチをする等、違う方法を探っていくことで新しい発見がある。簡単なことではないけれど、そこがおもしろい」。また、そうした新しいチャレンジができるのは、職人やアー

ティストの協力があってこそだとコラボレーターの重要性を語る。

　日本のみならず、アジア全域のラグジュアリーホテルの料飲施設のデザインでは、スーパーポテトや、杉本さんの薫陶を受けたスーパーポテト出身者の多くが競合となる中で、マンダリン オリエンタル 東京の仕事以降も、A. N. D. が「W 広州 FEI」等の実績を重ねてきたのは、細部にまでエレガンスを感じさせる独自のアプローチを小坂さんが志向し続けてきたからなのだろう。小坂さんが手掛ける仕事の幅はあまりに広いため、器用さが先に立つように見えるかもしれないが、その個性の一端を知るには、ここに紹介したような日本のマテリアルや文化的背景を、コンテンポラリーに解釈した上で生み出されたデザインを体験してみることをすすめたい。そこには、現代の"くずし"とでも言うべき、ジャパニーズデザインの進化した姿がある。

※現在「鮨そら」は営業を終了し、一部改装の上新たな店舗が営業中

08 ハウス 西麻布 (2008年)
スタイリングとインテリアデザインの目線を揃える
── エージングで醸し出す"前からそこにあった気配"

　隠れ家のような静かな立地にある「HOUSE（ハウス）西麻布」は、ジョージズファニチュア（現・ウェルカム）が2008年にオープンしたレストランだ。店内のスタイリングを含めインテリアをデザインしたのは、ファッションストアから飲食店までを幅広く手掛け、近年は「TRUNK（HOTEL）」のホテル棟の仕事でもよく知られる、ジャモアソシエイツだ。店舗を初めて訪れた時の、なんとも言葉では言い表しがたい「前からそこにあったような感覚」の秘密をジャモアソシエイツ代表のインテリアデザイナー、高橋紀人さんに聞きながら、現在まで長く愛され続けているこのレストランの空間を再考してみたい。

かすかなエージング仕上げという特殊解

　ハウスという店名のとおり、家を改装したかのようなビストロで提供されるのは、人気シェフによるフレンチの技術をベースにした料理だ。インテリアデザインについては、店内の一方にはオープンキッチンが、その奥にはセミオープンの個室があるシンプルな構成。インテリアについて高橋さんは「当時のディレクターが当初から望んでいた『知り合いの家に招かれたような雰囲気に』という言葉をもとに考えていきました」と言う。昼間は窓からテラスのグリーンがよく見え、夜は照度を抑えた照明セッティングがよいムードなのだが、何か特殊な仕掛けがあるようなレストランではない。

　はじめに正直に記しておきたいのは、2008年の開業当時、筆者にはこの店舗の"新しさ"に気づく感性が足りなかった、という恥ずかしい事実だ。日々、新店舗を見に行く編集者生活をしていたものの、比較対象となる体験を持ち合わせていなかったのだと思う。ハウスを訪れたことのあるデザイン関係者であれば、オランダ人デザイナー、ピート・ヘイン・イークによる銅製ペンダント照明や古材を用いたテーブルが、キャッチーな特徴として思い浮かぶだろう。また、古びたような銅板と古材を用いたオープンキッチンのカウンターもよい味がある。そこまでは、この

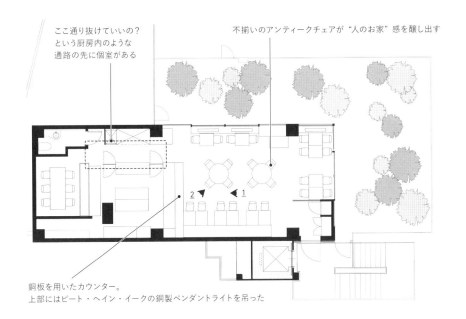

ここ通り抜けていいの？
という厨房内のような
通路の先に個室がある

不揃いのアンティークチェアが"人のお家"感を醸し出す

銅板を用いたカウンター。
上部にはピート・ヘイン・イークの銅製ペンダントライトを吊った

平面図

店舗の個性として、よく理解はできた。しかし、それだけではない、また訪れたく
なるような気配があるのだが、"言語化できない"感覚のまま時は過ぎる。その後、
ここは居心地のよい素晴らしい場所だと確信し、その理由がおぼろげながら見えて
きたのは開業して何年も経ってからだ。

　開業から14年もの時を経た今回の取材で話を聞き、驚かされたのは、新築ビル
内に計画されたこのインテリアに、エージング仕上げを施していたことだ。エージン
グとは、特殊な技術を持つペインターや職人が、内装や家具に風化したような色
合いや傷を付けることで古びた見栄えを演出する、テーマパークの内装等に見られ
る手法である。高橋さんが求めたのは、4、5年使ったようなかすかなエージングだっ
たという。

アンティーク家具が醸し出す日常の気配

　初めて訪れた時から強く印象に残るのは、椅子のデザインがバラバラだったこと
だ。不揃いのアンティークチェアを使った意図を尋ねると「そこは当初から完全に

1｜ピート・ヘイン・イークの照明を吊ったカウンター。腰には3種の風合いの異なる銅板を用いた。

狙った部分で、この家で暮らす人が生活しているうちに自然と家具が集まった姿を想定していました。西麻布は夜の艶っぽいイメージがあると思いますが、それとは一線を画し、アットホームな空気をつくることを強く意識しています」。椅子は英国のアーコールのアンティークを色合いに配慮しながら注意深く選び、レストランとしての座り心地を確保するために、座面にはスタッズをアクセントにしたクッションが後付けされた。

　高橋さんが安易にオリジナル家具をつくらない理由も興味深い。それは、独立前にエグジットメタルワークサプライで自ら家具をつくっていた経験によるもので、店舗をつくる3、4ヵ月程度の準備期間では完成度を上げるのが難しいからだという。また、椅子に加え、アンティークの円形テーブルがあることも、このレストラン

2 | 家らしい雰囲気とするため、ランダムな椅子を並べた客席。壁や天井は微かにエージングを施した。

に親密感を与える大きなポイントだ。例えば、インテリアと調和した直径900mmの
テーブルが飲食店で複数必要になる場合、一般的には、オリジナルでつくるのが
最も確実な選択肢となる。しかし、彼らには社内スタイリングチームのネットワーク
と経験があるので、膨大な手間を費やしたものの、理想的な色合いのテーブルと
椅子を期限内に揃えることができたという。最近ではレジデンス向けの家具を不揃
いに並べた飲食店は珍しくないが、このハウスは、居住空間のリラックス感を、本
気でレストランに取り入れた端緒だったと感じる。

架空のストーリーを具現化する、徹底したつくり込み

　デザイン全体の進め方としては、"家"をキーワードに架空のストーリーをつくり

上げ、それをもとにディテールが決定されていったという。当時は事務所全体でそうした手法を取ること多かったという高橋さんが、架空のストーリーから空間をつくり込んだ例として、非日常的な色気溢れる南青山のセレクトショップ「LOVELESS」（2004年開業。現在は移転）が思い浮かぶが、その対極である日常の側に振り切ったストーリーをもとに開発されたのが、この「ハウス」と言えるだろう。「住まいのイメージからアイデアを広げ、その家をレストランに改装した状態をつくろうとした」と言うとおり、個室の奥にはダミーの扉があり、その奥に部屋があると思わせる。また、法規を満たすために厨房と区画しながら、シェフズキッチンのようなシズル感を提供するセミオープンな個室のあり方にも苦労があったという。

　また、実際に薪を燃やすことはないという暖炉にも、壁付けの配管までがきっちりつくられている。ダミーの扉やそうした細やかな工夫について、高橋さんは「造作の良し悪しとは違うちょっとした空気づくり、スタイリングが生み出す空間のクオリティーを常に議論して完成度を上げていった」と振り返る。

　エージングされた天井には化粧梁が走り、客席床にはパーケットフローリングを、厨房まわりにはモザイクタイルを貼る等、各部は抜かりなくデザインされているが、やり過ぎと感じさせないのは、その塩梅が絶妙だからだろう。キッチンカウンターの腰の銅板は、質感に3種の幅を持たせてパッチワークしたというこだわりようだが、そこだけ主張するわけではなく、あくまでインテリアに馴染んでいる。

　「今振り返ると、ここはものすごくかっこいいわけではないし普通なんだけど、でも程よい感じがあり、最初にやり過ぎなかったのが良かったのかなと思います。僕らは10年間使われるデザインを常に目指しており、それは商業の空間ではなかなか難しいことなのですがここでは達成できました」と高橋さん。

　年間数十もの人気店をつくるデザイナーにして、「普通だけど程良い」と言わしめる、過剰ではない心地良さのあるデザインが、この店舗らしさを理解する鍵だろう。ダミーのドアの意味を問うよりも、ここで心地良くくつろぎ、食事の時間を楽しめること、また来たいと思う豊かさがあることが大切だ、というレストランデザインの主題に気づかせてくれる店舗だ。そして、内装造作をつくり込んだ後の工程となる、アンティークや小物類、植物等を生かしたスタイリングとインテリアとの完全なる調和が、人の居心地にいかに大きく影響するかを示しているように思う。

09 コール (2016年)

"人の手がつくるものへの愛着"を集積する
—— テキスタイルで仕上げたドーム天井

　住宅でも店舗でもある種の温かみがあり、心地の良さを提供してくれるデザインチームが、中原慎一郎さんを中心に1997年に創立されたランドスケーププロダクツだ。彼らは、インテリアショップ「プレイマウンテン」(2000年) やカフェ「タスヤード」(2004年) 等を直営し、オリジナル家具やインテリアのデザインから、ブランドディレクションまでを幅広く手掛けており、設計業務だけを主とするデザイン事務所とは異なるユニークな立ち位置で知られている。ここでは、2016年に表参道駅前のランドマーク、スパイラル内に開業した、ミナ ペルホネンのショップ「call」(コール) を紹介したい。

ミナ ペルホネンのテキスタイルを用いたドームが迎えるカフェ

　コールは、ミナ ペルホネンにとって初となるカフェ「家と庭」を併設したショップで、店内には同社のフョッションやインテリアファブリックから、生活雑貨、グロサリーまで幅広い商品が並ぶ。構想段階では、ミナ ペルホネンの皆川明さんと中原さんがロサンゼルスでスモールビジネスの店舗等を見て歩く中で、業種をミックスし

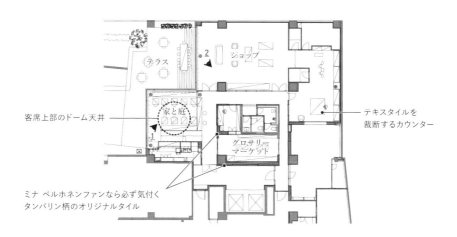

客席上部のドーム天井

テキスタイルを
裁断するカウンター

ミナ ペルホネンファンなら必ず気付く
タンバリン柄のオリジナルタイル

平面図

1│ドーム天井にミナ ペルホネンのテキスタイルを用いたカフェ「家と庭」。ショップとは緩やかに繋がる。

た店づくりの大枠が固まっていったという。プランニングとしては、回遊できるレイアウトを基本に、既存の内装を解体しながら、変更できる部分とできない部分を見極めながらデザインが進められた。

　エレベーターで5階に上がった来店者は、まず、エントランス手前のウォールアートで期待と高揚感のスイッチが入る。ミナ ペルホネンの定番柄、タンバリンと呼ばれるドットを円形に並べたパターンのオリジナルタイルで仕上げた壁内に据えられたこの作品は、ストックホルムで活動するイラストレーター、ヘニング・トロールベックさんが草花をモチーフに描いたものだ。

　この店舗を大きく印象付けるカフェでは、三角形パターンのテキスタイルで仕上げたドーム天井が、その魅力を色彩と共にダイレクトに語りかけてくる。ドーム下にある円柱のペイントは、皆川さん自らが描いたものだ。そうした空間デザインに加え、ミナ ペルホネンのテーブルウェアでお茶を飲み、クッションやシートのテキスタイルに触れることで、リラックスしながらデザインや思想を五感で体感できるのだ。

　また、カフェの椅子は、皆川さんが希望したという、アルテックの「ドムスチェア」を使用。座り心地が良く、優しいフォルムのこの実用的な椅子が空間にぴったりと合っているのは、オリジナルのテーブル等を椅子と呼応するように丸みを帯びたデザイン

2 | 暖かい色調のショップエリア。ミラーの形状や什器の脚など、さまざまな曲線が用いられている。

としているからだろう。インテリアデザインを担当した、ランドスケーププロダクツの
金相和さんは「テーブルの脚やベンチシート、通路の手すりといった細かい部分では、
ラインをあまり強く出さず、境目をやわらかい形状にする等、ミナ ペルホネンという
ブランドの持つやさしい印象と合致するデザインを丁寧にしていきました」と語る。

対話から導くディテールと、つくり手と共に進める設計手法

　家具については、些細なことだがベンチシートの背が座面のタンバリン柄のモ
ジュールとぴったり合った、タイルの割り付けのようにテキスタイルが引き立つ寸法
となっていて、そんな発見をするのも楽しい。また、カフェの前を通ってアプロー
チするショップは、テラス側の開口部から光が差し込む明るいスペースだ。床には
六角形パターンのウォールナット材パーケットフローリングが敷かれ、ハンガー什器
には、アーティストのモリソン小林さんによる、金属でつくられた精緻な植物のアー
トが組み合わされた。ショップ奥にテキスタイルの測り売りカウンターが設えてある
こともこの店舗の特徴の一つだが、その天板にはボウズ面が巧みに用いられてお
り、手触りのよいエッジが美しい。また、建築オリジナルの意匠へのリスペクトを
込め、改装前の壁に使われていた蛇紋大理石は、ブラケット照明のシェードとして

ドーナツ型に加工して磨き上げ、NEW LIGHT POTTERY による新たなプロダクトとして再利用されている。

　コールに限らず、ランドスケーププロダクツらしい心地良さがどこから来るのかを、金さんに率直に聞いてみると「素材やデザインで、何か決まった方式というのはありません。中原から学んだのは、プロジェクトの規模を問わず、依頼者の話を丁寧に聞いていくことです。また、これは私個人の感覚ですが、ランドスケーププロダクツのディテールへの意識はかなり細かく、流行の要素を取り入れるというのではなく、きちんと考え、さりげなくデザインしていく」と話してくれた。また、金さんはコールでは、インテリアから家具、照明器具等を設計者が一方的にデザインするのではなく、ミナ ペルホネンの世界観を表現するためにさまざまな作家やつくり手と一緒に、考えながら進められたことが素晴らしい経験だったと付け加えてくれた。ドアハンドルは、皆川さんの手による原型をもとに、信楽の NOTA & design が陶器でつくったオリジナルであり、カフェ待合の丸テーブルの脚はウッドターナーの盛永省治さんが手掛けたものだ。ダウンライトの一部には、ミナ ペルホネンのアイコンである蝶の型抜きが施されていたり、カフェで使う水差しの蓋が盛永さん作のクラフトだったりと、独自の表現は言われなければ気づかないようなところにまで及ぶ。

　心地良さというあいまいなものを簡単に生み出すトリックは存在せず、コラボレーターがもうひと手間をかけて創作したくなる関係性を築くという、発芽前に土壌を整えるような役割をランドスケーププロダクツが果たしているのだろう。また、一般的にプロの商空間デザイナー達は、クライアントの要望や業種により、デザインの主張の強さを変化させながら、与件に応じた店舗をつくり出していくように思うが、ランドスケーププロダクツが手掛けた空間では、デザインの強弱、言い換えれば、各部の意匠やディテールが主張する声の大きさを一定に保てることが個性であり、彼らの魅力であると感じる。

　コールでは、さまざまなレイヤーにおける対話を生かす設計プロセスによってブランドの思想と共鳴した空間が生まれ、人の手がつくり出すものへの愛着が仕上がりに宿っている。大量生産、効率化が当たり前となった現代において、通う度に、つくり手が楽しんで加えたひと手間に気づくことのできるこの空間は貴重だ。

10 ビジュウ（2013年）
日常の延長に生み出された究極にくつろげるしつらえ
—— カウンターテーブルと一体化したバスタブ

いくつかのホテルが本書に登場するが、ここではただ1室のみ（現在は計3室で営業中）で計画された異色のホテル「Bijuu（ビジュウ）」のインテリアを紹介したい。京漬物の老舗である村上重が所有する5階建てビルの価値を向上させるため、施設全体のクリエイティブディレクションと、2階のレストラン「kiln（キルン）」（2023年に営業終了）と5階のビジュウのインテリアを任されたのが Teruhiro Yanagihara Studio の柳原照弘さんだ。柳原さんは、現在、家具やインテリアのデザインのみならず、様々なブランドのクリエイティブディレクションを手掛ける等、幅広い分野で活躍するデザイナーだ。

日常の延長にある特別をつくるというコンセプト

かつてホテルとして営業していたビルを、美と食をテーマにした複合施設としてリニューアルする計画の中で、1日1組だけの宿泊客をもてなす "スパレジデンス" と

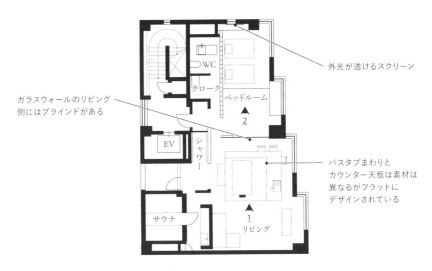

外光が透けるスクリーン

ガラスウォールのリビング側にはブラインドがある

WC
クローク
ベッドルーム
2
EV
シャワー
サウナ
1
リビング

バスタブまわりとカウンター天板は素材は異なるがフラットにデザインされている

5階平面図

1｜客室の中央に設けられた、カウンターと一体化したバスタブ前からベッドルーム方向を見る。

してビジュウは計画された。施設全体のあり方を考えるにあたって、街の喧騒の中にある立地だったために、外観で目を引くのではなく、レストランやホテルに入った時に感じられる特別感をつくることに注力しようと考えたという。デザインについては、「ビル全体として、非日常の特別さではなく、"日常の延長にある特別"をここにつくる、というコンセプトをもとに設計を進めていきました」と柳原さんは語る。

　5階のフロアすべてを使った100㎡超のスイートルームでは、寝室、バスルームといった機能ごとに部屋を区切るのではなく、全体を一つの大きな領域と捉え、一部に間仕切りを立てることでさりげなく分節するレイアウトがなされた。

　この客室で、何よりも目を引くのは、リビングの中央に、カウンターテーブルと一体化したバスタブがある大胆なレイアウトだろう。ここでは、浴室は閉ざすというセオリーよりも、バスタブを使う時間は日常の中の大切なひと時であり、開放感のあるここでしか体験できない価値を優先したという。さらに、24時間使える岩盤浴用の小部屋やシャワーブースを別に設ける等、複数の居場所をつくることで使い手

2｜ベッド横の開口部はパンチング加工したパネルでカバーされており、透過光が美しい表情を見せる。

に自由に使ってもらいたいという考えもあった。現在は、3階にスタンダードとデラックスタイプの客室が追加され、全3室で営業中だが、コンセプトが突出した唯一無二のスイートルームを持つことは、ホテルのアイデンティティーを広く知らしめる面でも大きな効果を生んでいる。

体に馴染む素材選びと独自のバランス感覚

筆者が過去に訪れた印象では、柳原さんによる空間は、飾らないローマテリアルが中心となるため材料の素性は極めてわかりやすい傾向にある一方で、全体のトーンについては、一言で○○風とは言い表しがたい、ある種の無国籍感が個性となっているように感じる。この客室でも、素材とその使い方は、一般的なホテルでは見られない個性的なものばかりだ。バスタブと一体的に造作されたカウンターには、南洋材であるチャンパカの無垢材を、メンテナンス不要のウレタン仕上げではなく、質感を重視したオイル仕上げで使用。壁の一部には、どこにでもあるよう

なレンガを薄くスライスして、その小口を見せるように積み上げて貼ることで繊細な表情としている。

　「細かなところにも絶対にお客さんの目がいくので、タオル置き場やスイッチプレートはレンガのモジュールに合わせ、ディテールを丁寧に仕上げていくことを徹底しました。高価な素材でなくとも、手を掛ければ掛ける程より良い表現ができるし、オリジナリティーが生まれることを僕達もここで実感しました」。

　例を挙げればきりがないが、ベッド下に敷いた厚板、泥染めしたファブリックを用いたカーテン、あえて荒らしたようなテクスチャーのモルタルの壁等、実験的なアイデアが幾重にも重なることで、他では見たことのないユニークさが生まれており、改修前の意匠で唯一残された分厚い大理石の枠も、他のフェイクでない素材達と絶妙に調和している点がおもしろい。

　普段、素材について意識することを聞くと、「まず大切なのは、素材に妥協しないこと。これは高価な素材を使うという意味ではなく、適切な材を選び、素材の使い方に妥協をしないという意味です。良いバランスで使えば体にすっと入ってくるし、バランスが悪ければ不要な装飾のように感じられてしまう」と、柳原さんなりの感覚を言葉にしてくれた。

アートを含むディレクションにより生まれる強度

　仕上げ材に加え、このホテルの印象をつくるもう一つの大きな要素は、随所に設けられたアートとオリジナル製作の家具だ。一般的に、ホテルや飲食店のアートは、規模が大きくなればなる程アートギャラリーに一任されることが多いが、ここではクリエイティブディレクターの柳原さんが、内装設計と同じ目線で、アートや家具、照明器具等の FFE を選定している。アートについては、京都にゆかりのある人と共につくりたいという思いから、京都生まれで後にニューヨークでキャリアを積んだ写真家の稲岡亜里子さんの写真や、同じく京都生まれの書家、華雪さんによる東山の風景からインスピレーションを得た作品等が飾られた。

　また、個人的にとても印象深いのは、ベッドサイドの窓にある目隠しのパネルだ。これは、一面にパンチング加工が施されており、柳原さん曰く「ホテル到着時にはアートのように見えるが、朝になると穴から光が差し込み、そこに窓があるとわかる」というデザインだ。一方で、家具は造作としてつくり付けるのではなく、心地良い

日常の延長にある空気感をつくり、空間の広がりを妨げないように、細いスチールフレームを用いた置き式のオリジナル家具が製作された。こうした、ホテル然としないデザインが実現したのは、日々の清掃、メンテナンスを丁寧に行う、クライアントの理解があったからだという。

　平面図に現れる、奥行きを想像させるレイアウトの考え方や、「着色すれば何でもできるが、自然の素材から出てくる色には勝てない。素材の魅力を追求するようになったのは、このプロジェクトが契機になりました」と当人が振り返るように、このビルで試みたさまざまな手法は、その後の空間デザインに大いに生かされている。「全体を見ることで、アウトプットの強度が変わる」と語る柳原さん。若手時代からプロダクトとインテリアを分け隔てなく手掛けることで身につけた細部への眼差しと、国内外のデザイナーやメーカーと協働しながら拡げてきたデザインとの向き合い方という両輪が、包括的なクリエイティブディレクションまでを自在にこなす、現在の職域の広さに繋がっているのだろう。

11 DDD HOTEL （2019年）
削ぎ落とし、必要なものだけを整える
—— "落ち着き" を与えるカラースキーム

ミニマルな佇まいの1階エントランスホール。正面奥の黒い壁の先にはレストランがある。

　「DDD HOTEL」は、東京・日本橋馬喰町で長年営業してきたビジネスホテルを全面改修し、名称を含めコンセプトを一新したプロジェクトだ。二俣公一さん率いるケース・リアルが内外装の設計を手掛け、2019年にオープンした。また、同じ建物内に同社が設計したレストラン「nôl（ノル）」とアートギャラリー「PARCEL（パーセル）」が併設されており、ターゲットを異にしながら、それぞれの分野で地位を確立しているスタイルもおもしろい。宿泊単価は一般的なビジネスホテルと同等ながら、そのデザイン性と業種の掛け合わせにより、独自のポジショニングを確立したホテルと言えるだろう。

必要なものだけを整える

　現地を訪れるとまず、ホテルらしくない1階エントランスの端正な佇まいに驚かされる。筆者が滞在した時には、1階の壁には B-BOY をテーマにした作品で知られるアーティストの小畑多丘さんによる抽象度の高いペインティングが壁に掛かるのみ。真鍮のプレートを加工した自動ドアから館内に一歩入ると、左手にはシンプルなレストランの店名サインがあり、正面にはレセプションデスクが一つ。街ゆく人から見ると看板もなく、この建物がホテルなのかオフィスなのか、まずわからないだろう。実際のところ、エントランス左手の壁に、周囲のレンガタイルと同寸の真鍮製サインがさりげなく埋め込まれているが、初めて訪れる人が気づくとは思えない。

　「エントランス内の吹き抜けには、見栄えのする大きな照明等を吊りたくなると思いますが、そういうことだけは絶対にやらないと決めていました。普通のホテルではここまで要素が少ないデザインでは施主の OK を得られないと思いますが、そんな空間の使い方をすることでこのホテルらしくなると考えました」と二俣さんは語る。

　訪問時の印象が強いエントランスから話を始めてしまったが、そもそも、このホテルはどのようなコンセプトで設計されたのだろうか。37年間営業したビジネスホテルを全面改装するにあたり、開発チームでは、現代に必要とされるビジネスホテルを再定義することから始めたという。そうして導かれたのは、「安眠できることと、質の高い落ち着いた時間を過ごせるようにする」という極めてベーシックなことだった。デザインにあたっては、「余計なものを削ぎ落とし、必要なものだけを整えることで、空間に落ち着きが生まれると考えた」という二俣さんの言葉に、DDD HOTEL らしさが凝縮されている。

落ち着きから発想された白とグリーンの組み合わせ

　床面積に限りのある1階はヴォイドのようなスペースとレストランが、2階は既存の客室をすべてなくし、ラウンジとカフェ機能が設けられた。外壁の一部を壊して大きな開口部を設けた2階の共用部では、朝食や仕事のミーティングにも適した自然光の入るニュートラルな環境が心地よい。そして、共用部と客室に共通する、白を基調に深みのあるグリーンと真鍮を組み合わせたカラースキームも、このホテルを印象づける大きな要素だ。「元々グリーンが好きな色の一つだったこともあるのですが、落ち着くことのできる空間にしたいと考え、色みにこだわってこのグリーンを選

びました。自然光の入る時間帯は緑色ですが、夜は黒く見えるでしょう。そんな昼夜の表情の違いをここで感じて欲しかったのです」と二俣さん。

　家具や腰壁では表面に質感を与えるため、フラットなウレタン塗装ではなく木目を感じられる塗装で仕上げられた。水まわりは、ユニットバスではなく、モザイクタイル貼りの在来工法で仕上げることで、一般的なビジネスホテルとの差別化に成功している。すべての客室からテレビをなくし、寝心地を左右するベッドには専用のマットレスを採用、シーツ類、ルームウェア、タオルは肌触りのよい上質なものが選ばれ、あくまで、宿泊客が快適に過ごすことにフォーカスしたホテル側の取捨選択は潔い。

　そこに個性を与えるのが、このホテルのためにデザインされたしつらえだ。クローゼット横に備え付けたテーブル前の椅子は二俣さんがデザインし、E＆Yが製作したオリジナル。コンパクトな客室ながら、壁面、クローゼット、備え付けのデスクとオリジナルチェアの仕上げがグリーンで統一されていることで、矛盾のない心地良さが生まれている。

　1階のレストラン「ノル」は、店名の由来の一つであるNoir（フランス語で黒の意）

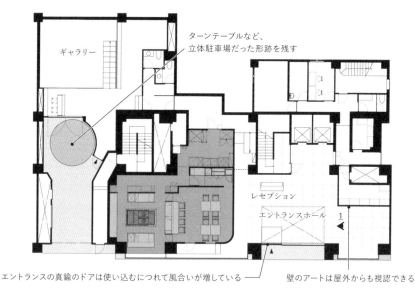

ターンテーブルなど、
立体駐車場だった形跡を残す

ギャラリー

レセプション

エントランスホール

エントランスの真鍮のドアは使い込むにつれて風合いが増している

壁のアートは屋外からも視認できる

1階平面図

からインスピレーションを得て、壁をブルーグレーからダークグレーへと変化する
グラデーションで仕上げた空間だ。マットで凹凸のあるリシンの仕上げは天井面に
まで及び、ダークな色調のインテリアが、カウンター席越しに見えるオープンキッチ
ンの存在を際立たせている。一方で、かつて立体駐車場だった場所をコンバージョ
ンした「パーセル」は、ホテルよりもさらにミニマルに設計された白い箱で、往時の
姿を残すターンテーブル横から入るアプローチもユニークだ。気鋭のキュレーショ
ンにより人気を確立し、2022年にはホテル裏手のビルにアネックスを設ける等、そ
の存在感を高めている。

オリジナルのデザインが生み出す " 豊かさ "

　このホテルに限ったことではないが、例えば収納扉の取っ手や照明器具等の細
部に既製品を使うかどうかは、予算上の制約はあるものの設計者の判断に委ねら
れる部分だ。二俣さんは、既製品を全否定するわけではなく、良いものは適材適
所で使えばよいというスタンスだが、その物件 " らしさ " が必要な時には判断を誤
らないように気をつけているという。

1 シングルルーム　2 ツインルーム　3 トリプルルーム　4 ストック

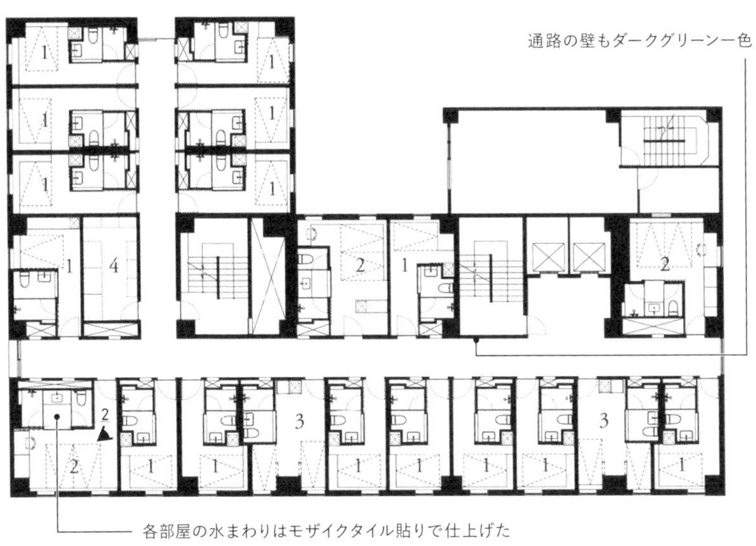

通路の壁もダークグリーン一色

各部屋の水まわりはモザイクタイル貼りで仕上げた

客室階平面図

2｜壁と同色のオリジナルチェア、収納扉の極小のツマミなど細部にまで設計者の意図が表れた客室。

　また、施設全体を貫く、要素を減らし最小限のデザインで空間をつくるという設計手法については、ここまで削ぎ落としてよいのか、本当に受け入れられるのかという不安はゼロではなかったという。しかし、オープン後の反響を受け「贅を尽くす方向であれば別のデザインがあると思いますが、ビジネスホテルという枠の中で、無駄のないスマートなものをつくるというオーナーの考え方のもと、きちんとした空間を僕らがデザインする、運営側は寝具やルームウェア、スタッフのユニフォームにもこだわる、といった一つひとつのことの積み重ねが、若い人達にも届いたのは嬉しかった」と語る。

　ケース・リアルの審美眼から導かれた、手の触れる距離にあるディテールの完成度と、明確な意図のもとに生み出された"余白"が、ラグジュアリーとは違う尺度で生み出される"豊かさ"となって滞在者の満足度を高めているのだろう。

2章

FASHION
& RETAIL

ファッション&リテール

1. 既成概念を覆す／2. 日本らしさの解釈と空間への展開／
3. コンセプトを具現化するエレメント

2章では物販系の事例を紹介する。なかでも
ファッションストアは店舗デザインの花形であり、
開店時に大きな注目を集める一方で、流行に左右
されやすく、その多くが短期間で改装を繰り返す
業態でもある。しかしながら、スウェット専門店
「ループウィラー」(2005年、p.62) のように開業時
と同じ姿で20年近く営業している店舗がある事実
には、ブランドらしさを体現した空間デザインの価
値と、普遍的なものの強さを感じる。また、この
20年程の大きな流れに、ファッションストアが入る
箱の変化がある。ブランド発信の拠点として、百
貨店の存在が際立っていた時代に比べ、テーマ性
を持った複合型テナントビルや駅ビル、SC等商業
集積のあり方が多様となり、差別化を望む出店者
にとっての選択肢が劇的に増え、ハイブランドを含
む路面店が一等地に立ち並び、ファサードデザイ
ンを競い合う現象が起こった。

一方で、ファッション以外の商品を扱う物販店
は、取り扱う商品によって千差万別のデザインがあ
り、設計者にプロフェショナルとしての経験や発想
が問われる特殊解の世界だ。お香の専門店「リス
ン」(p.83) のように、一人の設計者が一連の店づく
りを手掛けることが多く、ブランドや商品に応じた
"デザインの型"を備え、要件を満たした中での進
化や工夫が、ファンを惹きつけてきた。また、多

店舗展開する事例としては例外的に、立地によって
異なる設計者を起用するスキンケアブランド「イソッ
プ」は、日本に出店した2010年以降の展開を見る
だけでも、デザイナーによるアプローチの違いが如
実に空間に現れている。当書では京都店 (p.93) を
掲載しているが、他社が追随できない新たなスタイ
ルを確立したことも、リテールのデザインを俯瞰し
た際に現代を象徴するトピックと言えるだろう。もう
一つ、専門店の中で印象深い事例に、「代官山 蔦
屋書店」(p.68) がある。これは生活の一部に書店
が入り込んだ暮らしを提案するような複合施設であ
り、衰退する一方と考えられていた書店が核となっ
たことに、ピンチはチャンスに変えられるという"商
い"の新陳代謝を実感することができた。

また、日本を離れた筆者にとって特に、はるば
る訪れるという行為とセットだからか、より全身で
土地の歴史的背景と共に店舗の魅力を体感した、
丹波篠山の「小田垣商店 本店」(p.102) のように、
サイトスペシフィックな魅力に溢れる店舗が各地に
増えていることも書き加えておきたい。都市圏では
ない地域の独立系オーナーらによる発信に目を配
ることが欠かせなくなり、マス向けではない情報の
中に楽しみがある時代となったと感じている。

12 ループウィラー（2005年）
正統性のシンボルを掲げる —— 店頭に据えた旧式の吊り編み機

　片山正通さん率いる Wonderwall®（ワンダーウォール）がデザインを手掛け、2005年に開業した東京・千駄ヶ谷にあるスウェット専門店「LOOPWHEELER（ループウィラー）」。日々変化を続けるファッションの世界で、彼らは旧式の吊り編み機で1時間に1mしか編めない生地を用いたスウェットシャツを販売している。大量生産ができないことを付加価値とする独自の立ち位置を、ブランドの正統性を知らしめるフェーズと、その魅力を広め維持していくフェーズで、店舗はブランドのこの上ない完璧なサポート役を果たし、海外から東京を訪れるファッショニスタの訪問リストに名前の挙がる名所となっているのがこの店舗だ。

ブランドらしさを発信するシンボルとしての吊り編み機

　細い路地に面した、とても控えめな外観。道路に面した窓越しには、スペースシャトルの部品のような機械がゆっくりと回転しているのが見える。この機械こそが、日本国内で現在わずか300台程しか稼働していないという、彼らのスウェットづくりを支える旧式の吊り編み機だ。

　吊り編み機を置いたことについて、片山さんは「ループウィラーは"世界一、正統なスウェットシャツ"を目指し、現代においては非効率の極みとも言える生産背景を継続させ、着心地の良い生地で商品を作るという強いミッションがあります。アプローチが生真面目で、ファッションブランドとは違う。だからこそ、吊り編み機を店舗のシンボルとして使いたいとオーナーの鈴木諭さんにお願いしました」と振り返る。同社のグレーのスウェットは、見た目だけで言えば極めてベーシックな日常着そのものだ。その商品の価値を伝えるにあたり、「一見地味に見えるスウェットシャツの本当の価値を伝えるために、視点を変えて見せてあげることが店舗の役割」と設計者が考えた時点で勝負あり、デザインの成功が決まったように思える。そして、実際に生地がここで編まれているわけではないが、歴史を感じさせる黒光りした吊り編み機が天井から吊られ、歯車が動く様は動物園の動態展示のように、

映像や写真ではわからない製造現場のリアルな気配を伝えてくれる。

　また、設計時に意図したことではないというが、現在はこの機械越しに撮った写真が SNS 上に投稿されることが多く、フォトスポットになっているという。しかし、写真上の見栄えはあくまでその後の成り行きであって、通りを歩く人からよく見える位置に、「あれ、何か動いてる」と気づいてもらえるレイヤーを一つ設けたことが、このファサードが成功した要因だと片山さんは語る。

キーワードは " 未来の老舗 "

　ファッションストアの路面店というよりも、ブランドのアトリエかショールームかというような控え目な入口から、編み機を脇目に一歩店内に入れば、ここにしかない世界が広がっている。ループウィラーは、スウェットやTシャツ、パンツなどのベーシックな商品が主流であるため、店内で自由に見られる衣類がディスプレイされているのは、入口側から見て左手、壁際のほんの一角で、他は接客のためのスペースであり、このコンパクトな店舗はブランドの世界観に触れる装置として機能している。

　オーナーの鈴木さんとはブランド創設後間もない頃から互いによく知る間柄で、1960、70年代のスウェットのつくり方に焦点を当て、歴史に基づいた正しいスウェットをつくろうとするループウィラーの背景をよく知る片山さんは、この店舗を " 未来の老舗 " と位置付け、東京にスウェットの老舗があったらおもしろいだろうな、という架空のストーリーをもとにインテリア各部のデザインは進められた。

　接客時にスウェットが並べられる、ミニマルなディテールによりデザインされたオーク材フレームのガラス張りカウンターでは、間接照明により照らされた商品が主役として主張する。「このガラスのショーケース自体はクラシックなんですが、底面に照明を入れることでモダンに見せています。昔のイギリスの百貨店ではこういうショーケースに上質なジャケットやドレスシャツがディスプレイされていました。そこにスウェットがある違和感と同時に、同等のクオリティと職人技を持っている誇りを表してもいるんです」と片山さん。

　ショーケースと同じくクラシカルな要素の強いチェスターフィールドのソファは、スウェットを張り地に使うことで座り心地が良く、ループウィラーのファンであればつい笑顔で座ってしまう、可愛げのある存在にエディットされている。この空間は、店頭の編み機、ガラス張りのショーケース、このチェスターフィールドの三本柱をも

1 | 吊り編み機のあるエントランス。店内ソファにはループウィラーのスウェット生地を張っている。

2 | 接客カウンターとしても使われるガラスのショーケース。左手は壁全面サイズのディスプレイ棚。

3 | 外観。前面道路から見える吊り編み機の横を通って店内に至る。

とに構成していったというが、試着室右手のワインセラーのような感覚でしつらえたという壁一面のディスプレイ棚等、一つひとつのデザインの理由を聞くと、表層的な色や形ではなく、あくまでも買い物に訪れる顧客側の視点から発想されており、それがファンの心を掴む要因となっているのだろう。東京店ではスウェット生地がソファになったが、その後の大阪店や福岡店ではカーテンになったり、イームズの椅子の張り地へと展開しており、そうした遊び心も訪問時の楽しみとなっている。

問いが難しい程、おもしろい答えが出せる

　これまで、幾多の人の記憶に残る店舗のデザインし、近年ではレジデンスや宿泊施設まで幅広く手掛ける片山さんに、この店舗を手掛けた2000年代前半と現在とで、デザインへの取り組み方が変わったかを尋ねると「このループウィラーもそうですが、今だったらどうデザインするかと聞かれても変わらないことのほうが多いと思います。しかし以前と比べると今は、よりデザインしなくなっている」という。この発言で勘違いしてはいけないのは、"デザイン"の意味する範囲である。すごい形やマテリアルを思いついた、という類のデザインには全く興味がないし、そこにはエゴもないという片山さんは、課題を見つけてコンセプトを導いていくこと、プロジェクトが成功するために何をすべきかを考えることが重要で、「デザイナーはディレクター的な立場でものを考えられなければいけない」と語る。「僕は適切なデザインは何かというクイズを解くのが好き。だから、問いが難しければ難しいほど燃えるんですよね」とも。そして、フォルムやマテリアル、色を決めていく段階の、言わば狭義のデザインは、デザインと思っていないとまで言うが、完成度の高いものを提供することはあくまで前提であって、その奥にある問題を見据えているからこそ、自分達のデザインを常に客観的な眼で見て、戦略に沿った状況判断を下せるのだろう。

　一方で、彼らが言う狭義のほうのデザインの質の高さに定評があるのは言うに及ばないが、かつて、ワンダーウォールが手掛けたアパレルの店舗を、同業種の設計経験が豊富なベテラン建築家と一緒に訪れた時に、仕上げに求める寸法精度が自分達の感覚とは全く違うと呆れる程に感心していたことをよく覚えている。

　また、デザインの良し悪しという話よりもまず、物販店を考える際には「プロダクトをどう見せるか。そこに一番こだわっている」という視点も印象深い。取材をとお

してあらためて納得したのは、こうした"答え"を導くことに心血を注ぐデザイナーが、世の中にこれまで存在しなかったスウェット専門店を手掛けると、こんな空間になるという回答がこのループウィラーなのだ。あまりに稚拙な表現ではあるが、この店を訪れる度に「ここに並んだら、スウェットもさぞ幸せだろうな」と感じていた。

世界的にも貴重な編み機で丁寧につくられた生地を、最高の縫製技術で形にした商品達。そして、街ゆく人のすべてに間口を広げるわけではなく、商品に興味をもった顧客のみが訪れるこの舞台で、商品知識の豊富なスタッフの接客を受けるという構図が、ブランドと顧客の繋がりをより強固なものにしていく。

世界で名だたるブランドの空間を構築してきたワンダーウォールの代表作を問えば、人それぞれ思い入れのある店名が挙がるだろうが、彼らのデザインに対するアプローチを知るには、ぜひこの小さな店舗を訪れて、ショッピング体験後の心持ちの変化を味わってほしい。そして、2005年に生まれたファッションストアが、千駄ヶ谷というアパレルの目利きが集まる街で、開業当時の姿のまま鮮度を失わずに営業しているという驚くべき事実に気づくことになるだろう。

世界的なパンデミックの後、世の中が再び動き出そうとするタイミングで、今回の取材がかなったことはとても幸運だった。ループウィラーの店舗に対する考え方や空間デザインに至る道筋からは、商空間のあり方やインテリアデザイナーに求められる大切なことが浮かび上がってくる。これからデザイナーを目指す人にぜひ、伝えたいのは「デザイナーは美しいものをつくることが仕事だという人もいますが、僕は何が必要であり適切であるかという答えを考えて、ソリューションをデザインで提供していくのがデザイナーの仕事だと思う。ゴールは空間が完成することではなく、クライアントに最高のスタートを用意することなんです」という言葉だ。商いの現場が疲弊しきっていた2022年の取材時、最後に語られた片山さんの一言には、ストアデザインの未来への大きな示唆を得た。「普通のお店はもういらない。オンラインと共存しなければいけない時代の中では、店舗の数は減るでしょう。しかし、店は濃くなる。"SHOP IS NOT DEAD"、店は死なないってあらためて思っています」。求められる店舗の姿が時代と共に変わるのは商業空間の常であるが、より濃く、進化した空間だけが伝えられる価値があり、その価値を追い求めるデザイナーが切磋琢磨してきた歴史は、開業から20年近くを経て今なお色褪せずに輝きを放つ、このループウィラーの仕事にはっきりと見ることができる。

13 代官山 蔦屋書店／代官山 T-SITE (2011年)

街の文化的インフラとして書店を進化させる
—— 3棟を貫通するマガジンストリート

　森の中の書店。いや、雑誌が読み放題のコーヒーショップといえばいいのか、訪れる人によっては、主目的はテラス席に朝食をわざわざ食べに来るレストランであって、書店は付帯的なものかもしれない。とにかく、そんな魅力的な店舗が集まる低層の商業施設が2011年に開業したカルチュア・コンビニエンス・クラブ(以下CCC)による「代官山 T-SITE」であり、その中核店舗が「代官山 蔦屋書店」だ。立地は、代官山のヒルサイドテラスに隣接する約1万2000㎡の敷地で、旧山手通りに接する南側の3棟に蔦屋書店が入る。

　開発時の施設全体のコンセプトは"本屋がつくる街"であり、蔦屋書店は"森の中の図書館"を目指して企画され、そうしたCCCの思いを具現化するために、大御所から若手まで日本を代表する建築家ら約60組が参加した指名制プロポーザルを経て、設計のパートナーとして選ばれたのは、アストリッド・クラインさんとマーク・ダイサムさん率いるクライン ダイサム アーキテクツ(以下KDa)だ。

1｜T字形の白い特注パネルを用いたファサードは、遠くから見ても壁部分がT字形となるデザイン。

訪れる人に"親しみ"を与えるファサードのT

「お客さまを中心とする新しい店舗のあり方を考え、建築からインテリアにいたる空間すべてでブランドの価値を表現することが、この計画の大きなチャレンジであり、普通の買い物を、わざわざ来たくなるエクスペリエンスに変えることを目指した」とアストリッドさんとマークさんはプロジェクトの全体像を振り返る。

実際に「代官山 蔦屋書店」を訪れると、まず目に入るのはTSUTAYAの頭文字"T"を組み合わせた形状をガラス繊維強化コンクリート製の特注パネルで表した外装デザインだ。この細かいTだけでなく、ファサードは旧山手通りの向かい側から見ると、ガラス開口部を除いた白いパネル部分が巨大なTの字に見えるという、ダブルミーニングの外装デザインとなっている。二人は、「この立地では大きなサインを付けることはできませんが、ブランドを何かで表現したいと思い、TSUTAYAでおなじみのTを生かし、離れて見ると3棟の建物が三つのTに見えるアイデアを思いつきました。そして、大きなTだけでは気づかない人がいるかもしれないので、壁の表面はチビなTでデザインしています」と発想のきっかけを楽しげに語る。壁

の無数のTは、フラットな面では圧迫感が強すぎるという理由から、わずかな凹凸により洗練した印象に仕上げられた。GRCの滑らかな質感と表面の"ムクリ"は絶妙であり、誰もが知る、TSUTAYAを象徴する"T"があることで、無彩色の建築でありながら、冷たさとは無縁のフレンドリーな表情を見せ、建築の出隅部分は中央の軸線を通すデザインにより、それぞれのTが破綻することなく美しく処理されている。外壁がアイデンティティーとなる建築にはいくつもの名作があるが、ブランドイメージとぴったり重なるアイデアをもとに、商業的な"くどさ"ではなく"親しみ"に着地させたのは、活動初期の「かんばんビル」(2005年)等、通行人とコミュニケーションするファサードデザインに実績のあるKDaらしい見事な解決策だ。

マガジンストリートを起点とする空間的な繋がり

　書店内に足を踏み入れると、まずは3棟を貫通するマガジンストリートと呼ばれる雑誌コーナーに引き込まれる。雑誌の品揃えもさることながら、雑誌エリアから書籍エリアそして、雑貨や文具のあるエリアへの有機的な繋がりがこの書店での体験をスペシャルなものとしている。例えば、旅行雑誌の奥には旅行関連の書籍を扱

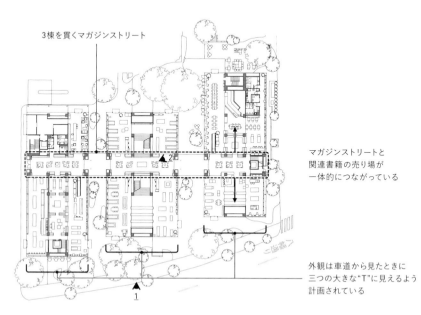

3棟を貫くマガジンストリート

マガジンストリートと
関連書籍の売り場が
一体的につながっている

外観は車道から見たときに
三つの大きな"T"に見えるよう
計画されている

1階平面図

う小部屋があることで、自分の興味をどんどん深掘りしていける仕掛けとなっており、フロア全体を見通すことのできない店内の小部屋間を歩き回ることで、未知のものと出会う楽しさが生まれているのだ。

　細かなスペースを連ねたデザインの意図を尋ねると「クライアントには店舗をつくることよりもまず、ここで生活提案をしたいという考え方があり代官山に馴染む "お家" のような感覚が求められました。私達も、ここに大型商業施設のような空間はふさわしくないと感じていたので、各要素をブレイクダウンして、料理、旅行、車といったように、小さなスペースを数多く設けることにしました」という。また、CCC がターゲットとするプレミアエイジを惹きつけるには、家のような快適さと居心地が必要だという考えから、ヒューマンスケールに分節した店内にはスタンド照明やペンダント照明を多用し、窓際に設えられた快適なベンチや椅子とあいまって、思い思いに過ごしたくなる状況があちらこちらに発生している。

　この代官山での、マガジンストリートを起点として、空間的な繋がりが関連するアイテムへと誘っていく手法は、その後、同じく KDa が設計した「湘南 T-SITE」(2014年)において、料理本の隣に調理器具専門店があり、ヘアサロン内に書籍が陳列されたように、テナント間の境界を超える形へと進化していった。書店のあるホテルや書店のあるカフェといった1対1の関係性ではなく、一つの専門業態を軸としてテナントを混在させるミクスチャーは、この代官山 T-SITE から新たな手法として確立されたように思う。

時代に即した書店業態の進化

　ここでは3号館のスターバックスコーヒーに加え、2号館2階に "森の中の図書館" という言葉のとおり、圧倒的な蔵書を見せるラウンジ「Anjin」があることも大きな特徴だ。ソファやカウンター等多彩な席が設けられたフロアには、ファッションから建築誌まで、厳選された雑誌のバックナンバーが並び、仕事の打ち合わせもできれば夜にはバーラウンジのような暗がりの中でアルコールを楽しむこともできる。

　「最近 Anjin で出会ったお客さんは、駐車場内のテスラの充電ステーションを愛用し、朝夕問わずこのラウンジでお茶を飲んだり仕事をしたりと、まさに家の延長のような使い方をしてくれている」とアストリッドさんが会心の笑顔を見せれば、KDa の久山幸成さんは「私達は公共施設を設計したことはありませんが、この場

2｜マガジンストリートと名付けられた、3棟を貫く雑誌売り場。雑誌棚の奥には関連書が並ぶ。

所が誰もが気軽に訪れられる公共的な場所として使われていることがうれしい」と、運営者の的確なアップデートにより施設が街と共に育ってきた現状を振り返る。

　そんな利用者の過ごし方が示すように、書店という名は付いているが、流行への感度を保ちながら、街の文化的インフラとして機能していることが蔦屋書店の特殊性であり、新しい使い方を可能にするのが、体験に重きを置いて組み立てられた空間デザインなのだ。ディベロッパーの宣伝文句として見飽きた"新業態"という言葉にはもはや価値がない昨今だが、真の意味での"業態の進化"に立ち会える瞬間はそうあることではない。しかし、この「代官山 蔦屋書店」は、出版不況、書店離れが進んだ厳しい時代だからこそ生まれた、進化した書店の姿であり、そのエンドユーザーの感情に大きな影響を及ぼす空間デザインの役割をはっきりと感じられる実例だ。そして、開業から時を経ていくにつれ、街の人の流れが変わり、同時に書店の使われ方が変わっていく様を身をもって感じることができたことは幸運だった。

14 ドルチェ & ガッバーナ 青山店 (2016年)

世界観を拡張するインテリアとライティングのコラボレーション
—— 光と影のコントラスト

1 | 店内では、ディスプレイテーブルと壁の一部のみを照らすライティングが数秒おきに切り替わる。

　ハイブランドからストリートブランドまで、毎年数多くのファッションストアを訪れる機会があったが、こんなに驚かされたファッションストアは他にない。舞台セットの中に入ったようなショッピング体験が、青山のど真ん中に用意されているのだ。

　インテリアの写真はどれも美しく、各シーンの特徴を捉えてはいるが、その空間性を伝えるには十分ではない。店内には、光と影のコントラストをあたかも素材の一つのように使い、それを常態的に変化させて商品のキャラクターを際立たせる空間が広がっている。どんな考え方でこの店舗が誕生したのか、デザインを手掛けた CURIOSITY（キュリオシティ）を率いるグエナエル・ニコラさんの話をもとに紐解いてみたい。

シチリアの太陽

　照度を落とした店内で、強烈な光によって浮かび上がるディスプレイ。必然的に、視線が向かうのは、ドルチェ＆ガッバーナの商品だ。ほの暗い飲食店で視線が向かう先が限定される経験はあるが、店内を自由に歩き回るようなファッションの店舗で、ここまで照度を落とし、かつ、数秒ごとにライティングを切り替えていく店舗空間はこれまで見たことがない。ある時は、規則正しく配置されたディスプレイテーブルの天板だけを照らし、ある時は、壁の一部分だけが列柱のように浮かび上がる。随時、デジタルモニターの映像が切り替わるように、実世界の中で照明によって見えるエリアが変化していく。

　このインテリアデザインの要となる光と影の演出について、ニコラさんは、「ブランドのバックグラウンドを探る中で、デザイナーの出身地であるシチリアの、強烈な太陽の光からデザインのインスピレーションを得ました」と語る。特に1枚の写真から大きな刺激を受けたという。開業直後のインタビュー時に、ニコラさんの事務所で見せてもらったことがあるが、白い壁と黒い影のコントラストが強く印象に残る作品だった。「太陽光がとても強いとシャドーの中は真っ暗で何も見えなくなるでしょう。とてもグラフィカルに見えた、その写真のイメージから空間に強い光を使ってみようと考えたのです」とニコラさん。常々、リテールのための空間では、インタラクションがとても大切だと話すニコラさんにとっては、"情報の見せ方"という視点と、メタバースのように"空間の形を操作できること"の二つが、リサーチ中に得た大きな発見だったと振り返る。情報というのは、照明のオンとオフを切り替えることで、あたかもデジタル端末の画面を開いた時のように、見せたい情報にフォーカスさせるデザインとなり、形態の操作については、壁の一部だけを照らすことで、奥行きや壁の存在感をコントロールする照明のプログラムに生かされている。また、常にはっきりと見える太陽のような存在として象徴的にデザインされたのが、店内中央を貫通するゴールド色の階段だ。表面にはバイブレーション仕上げした真鍮板を用いることで、鏡面仕上げとは異なる柔らかい風合いを醸し出しており、エントランス正面をこのゴールドの面で受けることで、随時ライティングが切り替わる店内において、中央の軸線を感じさせるものとなっている。ドメニコ・ドルチェさんへのプレゼンテーションでは、シチリアの陽光をテーマに照明のオン／オフで店舗をつくるコンセプトを模型で見せると、プレゼン開始からOKが出るまでわずか15秒だっ

シェルフのある壁面を市松模様などの様々なパターンで照らすことで商品の魅力を強烈に印象づける

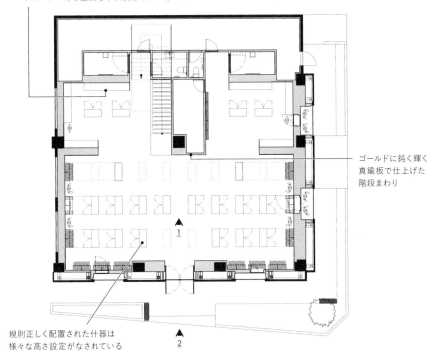

ゴールドに鈍く輝く
真鍮板で仕上げた
階段まわり

規則正しく配置された什器は
様々な高さ設定がなされている

1階平面図

たというので、クライアントの驚きと満足がうかがえる。

デジタル感覚を強調するライティングと、その効果を際立たせる什器デザイン

　この店舗が、実空間でありながら、デジタルな感覚を生み出しているのは、対象物を照らし出す照明の高精度なフォーカシングと、数秒ごとに切り替わる巧みなシーン設定だ。コンセプトを実現する鍵となるライティングについては、ミラノを拠点とする照明デザイン事務所と協働し、テストを重ねて完成度を高めていったという。近年、イベント等でよく見られる、建築空間に対して後付けで計画されたプロジェクトマッピングとこの店舗が大きく異なるのは、新たなブランド体験をつくるゴールに向けて、照明の効果を最大化するように、物理的な棚や什器がつくり込まれている点にある。例えば、規則正しく配置されたディスプレイテーブルには高低の

2│ファサード。ショーウインドーには美しい柄のアラベスカートをブックマッチで用いている。

バリエーションがあるが、天板はすべて大理石で統一されている。そして、靴を展示する台は、セラミックタイル貼りの床面に大理石プレートを埋め込み、照明で照らされた時だけ、床が面発光するかのように光を反射してシューズの存在感を主張。また、市松状に照らした壁のガラスシェルフは、壁に落ちる影を完璧にコントロールすることで、レース柄のシューズの繊細な柄をシルエットから感じ取ることができるものだ。

　また、光と影のコントラストを生かした表現は極めて未来的だが、こんなエピソードを明かしてくれた。「ヨーロッパにいた頃は、影の違いまでは気にしていませんでしたが、日本で寺院等を見るうちに、陽がある時や曇った時、日没後の陰影の違いや、暗闇の中でかすかにものが見えるような変化に興味を持ちました。この店舗

では、そんな日本で得た感覚を生かしてデザインしています」。また、光のコントラストのみならず、ショーウインドーのイタリア産アラベスカートや、外装サインのブラックカルニコ等、リアルな素材として優美な模様を見せる天然石の使用も、このブランドの本質的な価値を伝える役目を果たしている。

光／サプライズ／アイコニック

　フェンディやルイ・ヴィトン等の世界的メゾンとの仕事を数多く手掛けてきたニコラさんだが、キュリオシティがドルチェ＆ガッバーナを設計したと聞いた時は、双方のイメージが結びつかない気がしていたことを正直に伝えると「もし、バロックの装飾的なデザインを求められたのなら、そこは自分にはよくわからないし、共感できなかったでしょうね。しかし、この仕事で求められたのは、『これがドルチェ＆ガッバーナです』という正解を表すのではなく、『これもドルチェ＆ガッバーナです』という、私から見た彼らの世界を表現することだと理解しました」と。また、ブランド固有の世界観については「イメージを伝わりやすくするために小さなボックスに入っていますが、みんなが思っているより意外とボックスは大きいし、広げることもできる」と説明してくれた。また、ブランドにより異なるデザインを提案するのは当然として、その根本にある考え方がユニークだ。「私がやりたいことは、いつも決まっています。光、サプライズ、アイコニック」。それらの要素を、ブランドのカルチャーや立地によって、どう組み合わせるか、どんなタイミングで用いるかで、全く別のものになると言うのだ。2000年代の仕事を思い返しても、「ライト ライト」（2008年）や「レクサス RX ミュージアム」（2009年）等、真っ暗な中で象徴的に光を扱ったワクワクするデザインがあった。それぞれ用途は異なるが驚くべき光の扱い方があり、そんな発想力を持つデザイナーからこのドルチェ＆ガッバーナが生まれるのも不思議ではないし、新しいコンセプトを提案することが自身のデザイナーとしての役割だというニコラさんの姿勢は昔から終始一貫している。

　最近は、集合住宅のインテリアやウィークエンドハウス等、30年日本で生活してきたから到達した、日本的な美に基づいた実績も増えており、日本の伝統をどう解釈して見せてくれるのか、また、東京という都市の個性をどう捉えてデザインに生かしていくのか、次なる野心的なコンセプトに期待してしまう。

15 伊勢丹新宿店 （2013年改装）
歓声の上がる百貨店 —— 強烈な個性を見せつける "パーク"

　2013年に大改装した直後の「伊勢丹新宿店」で聞いた、大好きなエピソードがある。開業準備中のフロアで初めて照明を点灯した時に、売り場で働くスタッフ達の拍手と歓声で沸いた、というのだ。エントランスまわり等を除けば、百貨店や商業ビルの共用部では、テナント部分の邪魔をしない一歩引いたデザインが適切なものだと思い込んでいたが、従業員さえも感動するデザインがあり得るのかと驚かされた。

　伊勢丹ではMDを含む改装はリモデルと呼ばれるが、そのデザインディレクションを手掛けたのは、丹下都市建築設計の丹下憲孝さんとGLAMOROUS co.,ltd.（グラマラス）の森田恭通さんだ。ここでは、国内外で数多くの人気店のインテリアデザインを手掛けてきたデザイナーの森田さんへのヒアリングをもとに、日本一の百貨店が劇的に生まれ変わった背景を振り返ってみたい。

今のままの百貨店なら要らない

　正式なデザイン依頼を受ける前に設けられた意見交換の場で、百貨店についてどう思うかを聞かれた森田さんは、「今のままの百貨店なら要らない」と率直に答えたという。ラグジュアリーブランドの路面店は各地にあり、渋谷周辺や中目黒等に質の高いセレクトショップが点在し、百貨店に行く理由がなくなっている現状を変えるには、「唯一の方法は、世界一のデパートメントストアをつくること」だとも。こうした発言の裏には、伊勢丹ならばできるという勝算があったと森田さんは明かす。それは、日本のみならず世界の多くの百貨店は "場所貸し" 業と化しており、外観こそ違うものの店内はどこも均質化してしまっていること。また、日本を代表する百貨店の地位にあるこの新宿店であれば、施設側がイニシアチブをとって思い切った変革ができるはずだ、と。そんな忌憚ない対話の後、すぐに正式なデザイン依頼を受けた森田さんらは、設計者の目であらためて世界の百貨店をリサーチし、「勝てる」との結論に至ったという。

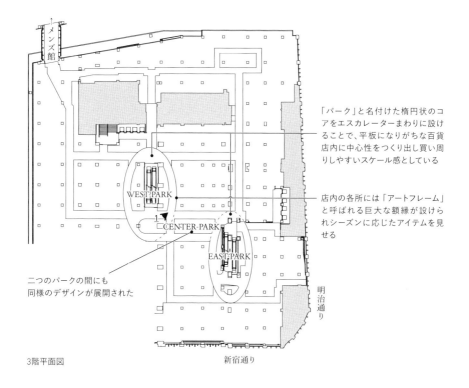

「パーク」と名付けた楕円状のコアをエスカレーターまわりに設けることで、平板になりがちな百貨店内に中心性をつくり出し買い周りしやすいスケール感としている

店内の各所には「アートフレーム」と呼ばれる巨大な額縁が設けられシーズンに応じたアイテムを見せる

二つのパークの間にも同様のデザインが展開された

明治通り

3階平面図

新宿通り

百貨店の共用部を変えた"パーク"のあり方

　大きな商業施設でも小さなレストランでも、いつも問題解決をゴールに自分の中で整理していくのは変わらないという森田さん。伊勢丹では、巨大迷路のように入り組んだフロアが大きな問題であり、設計チームは、2機あるエスカレーターまわりを「パーク」と名付け、周囲と差別化することで解決を試みている。これは、大きなフロアをヒューマンスケールに変え、買い物のスタートとゴール地点をわかりやすくする意図を込めたものだ。回遊しやすい楕円状のパークを設けることで、売り場面積は10％程度減少しているが、今まで人通りが少なく売り上げが上がらなかった建物の端のエリアも、パークを起点とすれば距離がほぼ均等になり坪効率が上がるとの方法論はクライアントに受け入れられたという。また、「ハイブランドのジャケットを着る人もＴシャツは2階のカジュアルなフロアでも買う時代」（森田さん）という、現代の買い物客の行動パターンに応じた縦方向の繋がりをつくる点でも、パークは効果的に機能している。

1｜色味の異なる数種のクロムメッキ仕上げのパイプで天井を埋め尽くした、3階のパーク。

　そして、公園の名を良い意味で裏切るデザインは、どの階でも圧倒的だ。モード系ブランドが揃う3階では、照明の光をキラキラと反射するクロムメッキ仕上げをした無数のパイプを天井から吊り下げ、床には黒くリッチな光沢のある大理石を用いることで、その幻想的なきらめきが床にも映り込む。冒頭で歓声が上がったと書いたのは、このフロアのことだが、これが伊勢丹新宿店というファッション界のワンダーランドを目指す人にとっての"パーク"なのだ。2階ではカッパー色の円盤が、4階ではクリスタルの装飾が吊られたように、各階のパークでは、一度訪れたら忘れられないキャラクター付けがなされており、そのテーマに応じたディテールが周囲にも展開される。フロアのデザイン一つでこんなに興奮度が上がるなんて想像したこともなかったというと、「そうでしょ。だから、めっちゃ財布のヒモ緩むんですよ！」と森田さんは笑う。

2 | 2階の売り場内に設けられた「ザ・スタンド」では買い物中にシャンパンを楽しむこともできる。

従業員に語り続けることで生まれたチームとしての一体感

　過去にも森田さんへの取材では、バーでもレストランでもあらゆるシーンを妄想し、お客さんになりきって考えると何度も聞いてきたが、そんなカスタマー視点から導かれたものの一つに、洗練されたバーのようなデザインの「ザ・スタンド」がある。伊勢丹の誇る2階の自主編集売り場の真横にあるカウンター席でシャンパンやエスプレッソを注文することができ、そこで一息つき、テンションを下げることなく買い物が続けられるようになっているのだ。

　顧客心理を考え抜くことに加え、これまで取材を通じて感じてきた森田さんの凄みは、設計して終わりではなく、店舗の行く末を本気で考える、プロフェッショナルな姿勢だ。

　かつて、グラマラスが設計した会員制クラブで、大御所デザイナーと森田さんの対談をしていた時のことだ。サービススタッフがグラスを置いた位置が悪く、インタビューそっちのけで本気で指導していた。全力で設計した店舗は、最高の店

に育たなければ気が済まない人なのだ。伊勢丹のプロジェクトでは、「このままで
は百貨店がなくなるよ、とデザインの狙いを納得してもらうまで従業員の方達に何
度も語り掛け、対話を続けました」というが、そうして得たチームとしての一体感が、
開業時の歓声となり、その後の売り上げへと繋がるのだと思う。極めてお節介なデ
ザイナーなのかもしれないが、経営者と同じ視点で愛情をもって店舗を見るからこ
そ、百戦錬磨のオーナーからの依頼が絶えないのだろう。

商業のデザインで大切なこと

　2023年4月には、三越伊勢丹ホールディングスから伊勢丹新宿店の2022年度累
計の売り上げが過去最高だった1991年度を超える見込みとのニュースが発表され
た。デザインの魅力だけで達成したと言うつもりはないが、この新宿店を一度でも
訪れたことのある人ならば、買い物中に目にして、手を触れるデザインの一つひと
つが他の百貨店との圧倒的な違いを生み出していることを理解してもらえるだろう。
百貨店業界では場所貸しのビジネスモデルが広まり、控えめな共用部デザインがス
タンダードとなる時流の中で、攻めたデザインがぴたりとはまる事例があり、そこま
で振り切ったデザインは10年経っても廃れないのだ。35年以上、クライアントに伴
走するようにして商空間のデザインを手掛け、商いの厳しさを肌で知る森田さんは、
「デザインの美しさに秀でている人は多くいると思いますが、時代を読むことがデザ
イナーにとっては大切な仕事であり、商業のデザインでは利益や集客のことをきち
んと考えられなければ、踏み込んだ設計はできない」と語る。

　写真でアウトプットだけを見ると、突飛な解決策に見えるかもしれないが、時代
に即した商いの本質を捉え、人の心理に訴えかけることに注力する、というベーシッ
クな階段を上った先にある問題解決のデザインとして、この伊勢丹を見ることで、
学べることがさらに多くあるはずだ。筆者にとって編集者時代の記憶として思い出
深いのは、表紙カットをどこにしようかと、この伊勢丹館内をさまよい歩いたことだ
が、絵になるスポットがそこかしこにある濃密なインテリアに浸る至福の時間だった。

16 リスン京都（2004年）
規則性に即興性を組み合わせる
—— 瓦の上に配したディスプレイテーブルと丸鋼

　大阪生まれのインテリアデザイナー、野井成正（のいしげまさ）さんの存在を知った時は、すでに「バーの名人」という枕詞が常にお名前と共にあったように思う。野井さんが設計したバーを挙げれば、大阪のデザイン界隈で知らない人はいないオーセンティックバーの名店、法善寺横丁の「川名」（1992年）や、立ち飲みのワインバー「Bon-Bar 江戸堀」（1992年）等、人それぞれに思い出の店があるだろう。しかし、ここではバーではなく、野井さんが手掛けた物販店の傑作として印象に残るインセンス（お香）のショップ「リスン京都」を紹介したい。複合商業施設「ココン カラスマ」内に2004年にオープンした店舗で、野井さんにとっては、京都・北山や東京・青山の店舗に続く、同ブランドの3店舗目（北山より移転）となるデザインだ。

商品に目が惹きつけられる構成

　一般的に商業施設内の店舗は路面店と異なり、店ごとの顔や独自の世界観を見せることが難しいが、リスン京都では、ここはお店なのかギャラリーなのかと思わせる造形が、共用通路を歩く買い物客の目を惹きつける。そして、一歩店内に入ると、うっすらと白く光る波型の精緻なディスプレイテーブルに並んだ、わずか7cm程のインセンスが目に飛び込んでくるという、極めて理にかなった店舗となってい

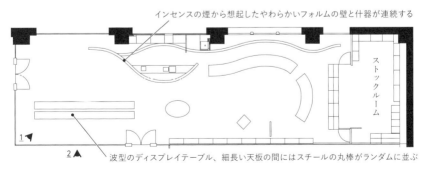

インセンスの煙から想起したやわらかいフォルムの壁と什器が連続する

ストックルーム

1▶

2▲

波型のディスプレイテーブル、細長い天板の間にはスチールの丸棒がランダムに並ぶ

平面図

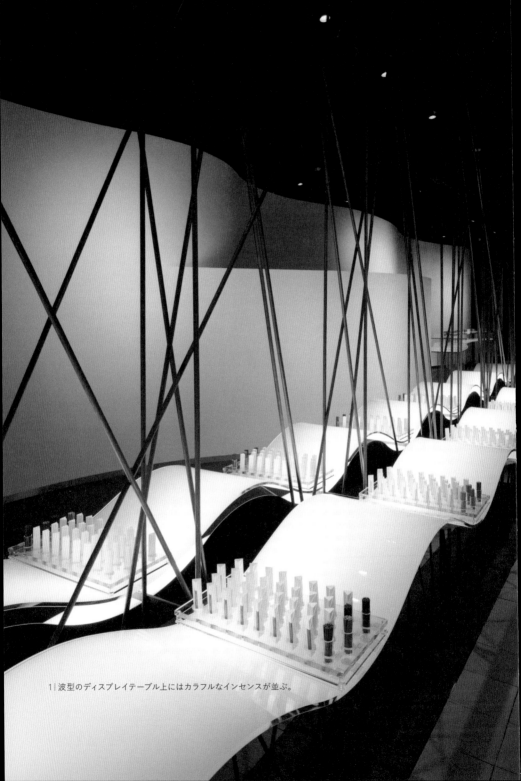

1│波型のディスプレイテーブル上にはカラフルなインセンスが並ぶ。

2｜共用通路から見た店内。ディスプレイテーブル中央にはスチールの丸棒がランダムに並ぶ。

　る。また、店内には野井さんお気に入りの北山の1号店を彷彿とさせる、インセンスから立ち上る煙のような柔らかい曲線を描くパーティションがあり、床に敷かれたダークグレーに鈍く光る瓦は、これまでの全店と共通する意匠だ。店内奥には広々としたコンサルティングスペースが用意されており、時によってはアートの展示等に使われている。

来店者を高揚させる仕掛け

　野井さんは、自身の作品集『あそびごころ』（2014年）の中で、この京都店について「ゆったりとした空気感と心地よい陶酔感を味わっていただけるように工夫した」と述べており、広々とした店内の中央には、丸い棒状のインセンスから発想したという丸鋼がランダムに並んでいる。

　今となっては、なぜあの位置に丸鋼を配したのかを聞くことができず残念だが、一方では、感性から導かれた丸鋼の一つひとつやその配列に意味があるかを訊ねるのは野暮だとも思う。もちろん、波型ディスプレイのガラス天板を支えるという機

能はあるのだが、ショップ全体の気積に対して、あれくらいの丸鋼がなければいけ
ない、という明確な意図があったのは間違いない。ただ、丸鋼だけが必要だった
わけではなく、白く光るディスプレイテーブル、漆喰仕上げの白いパーティション、
それら白い要素を引き立てる黒光りした瓦の床等の集合体が、インセンスを買い求
めにきた来店者の高揚感に寄与し、野井さんの意図した"心地良い陶酔感"とし
て結実しているのだろう。

ランダムな配置、というデザイン手法

　20年程前に聞いた先輩編集者の言葉に、一人の設計者のデザインを時系列で
追うと見えてくるものがある、という助言があった。野井さんのように、長いスパン
で同じクライアントとの仕事を積み重ね、かつ、業種や業態を問わず、ぶれること
のない"芯"があるデザイナーの場合には、デザインの変遷を追うことで、その個
性がはっきりと浮かび上がってくるように思う。

　例えば、野井さんによる、一見ラフに見えるランダムな配置という、リスン京都
の丸鋼に見られるデザイン手法については、他の仕事を参照するとその背景が理
解しやすいかもしれない。東京・水天宮前のスタンディングバー「志村や」(2006年)
か、スペインバルの「ラ カスエラ ロハ」(2013年)で聞いたか記憶は曖昧だが、そ
こにはボンバール江戸堀にも通じる、角材をランダムに組み上げたデザインがあり、
野井さんにその意図を聞くと、「前もって、角材をこれくらいの量入れといて、とだ
け言っておき、現場でこんな感じにしよか、と手を動かしながら決めていくんですよ」
と、その即興的なデザインを説明してくれた。そうしたランダムに置かれた部材は、
アイキャッチとなり、また、店主とお客との間で目隠しの緩衝材となり、絶妙に機
能している。工事というのは図面にあるものを精緻につくるものだという堅苦しい
先入観を持っていた筆者には、現場で様子を見ながら決めていくという方法があま
りに斬新だったのでよく覚えている。

　また、バー「川名」の壁に見られる、オブジェのように固定した角材のデザインに
ついて、「木は乾燥して暴れるから、徐々にすき間ができるでしょう。そこから自然
と光が漏れるようにしたんですよ」と楽しそうに語ってくれたこともあった。そんな
ふうに、木材は暴れるし、素材が痩せたら付け足せばよいというように、自然の変

化を許容し、現場での感覚を大切にしながら長年デザインしてきた人なのだ。

店舗として繁栄させるというゴールへ

　ただ、ここで誤解して欲しくないのは、図面上で完成形を決めないことのある野井さんを即興的なデザインの名人、と言いたいのではなく、即興を心から楽しみ、現場で生まれる"瞬間的なデザイン"の価値を店舗に生かす名人だったのだと筆者は思う。言い換えれば、自己表現のデザインをするのではなく、機能もアーティスティックな要素も経年変化も、すべてをひっくるめた上で、店舗として長く愛されて繁栄させる、というゴールに結びつけていく技が名人と言われる所以なのだ。

　個人オーナーとの仕事が比較的多く、いつも酒場でユーモアを交えてデザインを語ってくれる野井さんがあまりに温厚なので、お施主さんとは友人同様のお付き合いをしているんですかと何の気なしに尋ねると、「いや、僕は施主に対して厳しいことを言うんで、そんな関係じゃないですよ。毎回が真剣勝負なので」とおっしゃっていて、なんと浅はかな質問をしてしまったのかと悔やんだことがある。その後、30歳程年の離れた若手デザイナーに礼儀を教えているシーンに出くわしたこともあり、一見とぼけたユーモアと、クリエーションに対する真剣さは、共に野井さんのパーソナリティの核なのだと思う。

　真面目にインテリアデザインや建築を学んできた次世代のデザイナーには、設計という仕事の幅、そして、そこで過ごす人と店主の距離感や、滞在する人へのちょっとした配慮や工夫にあふれる、野井さんによるインテリアを巡るツアーをおすすめしたい。空間デザインとは、写真や図面だけでは本当に伝わりづらいものなのだ。

17 菓匠 花桔梗（2005年）

インテリア、家具、建築を境界なく整えていく
—— 和菓子から想起した白い箱

1｜白い無垢の箱にスリットのような入口を設けたファサード。入口正面には水のオブジェがある。

2 | 暖簾を象徴的に用いたインテリア。白一色のしつらえの中にさまざまなテクスチャーが見られる。

名古屋市瑞穂区の「菓匠 花桔梗」は、由緒正しい和菓子店からのれん分けして2005年に誕生した店舗だ。当時設立から3年目だった、米谷ひろしさん、君塚賢さんと増子由美さんの三人が結成したデザイン事務所、TONERICO:INC.（トネリコ）が建築とインテリアの設計を手掛けた。オープン後には、雑誌の表紙を飾ったりJCDデザイン賞の金賞を受賞したりする等話題を集めた店舗で、インパクト重視の飲食店が席巻していた2000年代において、はっきり異質と言える端正な白いファサードを記憶している方は多いのではないだろうか。この店舗で体感したのは、インテリアと建築に加え、家具や店内オブジェまでを含むすべてが一つの思考で整えられた空間の魅力だ。

異なる意味を持つ2種類ののれん

　建築から家具に至るデザインが三位一体となって語りかけてくる空間は、どのような経緯でデザインされたのか。トネリコがデザインした成城の菓子店「あんや」（2003年）を見て声を掛けたという施主から求められたのは、「10年後の和菓子店」だった。2002年にトネリコを立ち上げてから、いつか建築を含めたデザインを手掛

けたいと願っていた米谷さんには、まさに望むところの設計依頼であり、既存のイメージを手掛かりにするのではなく、10年後という、まだ見ぬ"新しさ"を求められたことにデザイナーとして喜びを感じたという。新しさを表現するにあたっては、様式のようなものを感じさせず、何にも属さない、白い無垢なデザインを志向。そして、看板商品である羊羹から、中まで均質に詰まった素材である漆喰を連想し、施主の親戚に左官職人がいたという幸運もあり、内外を本漆喰で仕上げたデザインへと発展させていった。

　伝統的な和の意匠を象徴するのれんをくぐり店内に入ると、和菓子の並ぶ、漆喰で塗り込んだカウンターを目にすると同時に、屋外ののれんと呼応するようにデザインされた、天井一面ののれんに気づくだろう。これは、"のれん分け"という言葉があるように、同店の歴史を表現しようとデザインされたものだ。麻系のファブリックを用いたこののれんは、「洗い出しの床等の硬質なマテリアルの印象を和らげ、障子紙のように光を拡散させる点でもうまく機能した」と米谷さん。一般的には、日本らしいイメージの強いのれんだが、この室内では等間隔に連続させたことで、和や洋という概念から離れ、空間をニュートラルにする役割を果たしていると感じた。また、のれんの下、店内中央に据えられた白いディスプレイテーブルは、

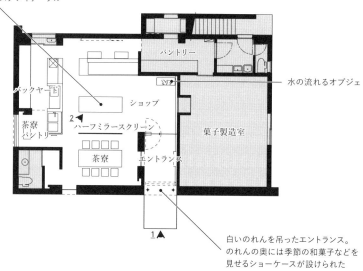

桔梗をモチーフにしたパターンを
型抜きしたディスプレイテーブル

水の流れるオブジェ

パントリー

バックヤード

ショップ

茶寮
パントリー

ハーフミラースクリーン

菓子製造室

茶寮

エントランス

白いのれんを吊ったエントランス。
のれんの奥には季節の和菓子などを
見せるショーケースが設けられた

平面図

ブランドアイデンティティーの桔梗をモチーフにした型抜きが施され、その表面の模様と共に、床に落ちる影が美しい。和菓子ケース前に立つと、正対する壁のディスプレイやのれんの連なりにより正面性が強調され、この店舗の主役と向き合っている心持ちになれる。

店主らの姿を重ね合わせた水のオブジェ

エントランス正面にある水の流れ出るオブジェも、この店舗らしさを醸し出す大切なエレメントだ。空間の中で水を使ってほしいという施主のリクエストから発想されたものだが、興味深いのは、求められるままに素直に水を湛えるオブジェを置くのではなく、ごくわずかな水量で、水の存在を感じさせるアートワークとして提案したことだ。内田繁さん率いるスタジオ80での10年間を経た後、独立して3年目だった当時は、守破離でいうところの「破」、型を破って次なるステージに進む段階にあると自覚していた米谷さんらは、施主の言葉や期待を超える、自分達なりに解釈したデザイン提案を目指したという。こうしたオリジナルな表現への強い意志が、このオブジェだけではなく、この空間デザインの根幹となっているのだろう。また、販売エリアとハーフミラーのガラスパーティションで区切られた客席には、米谷さんがデザインし、既製品として販売されている藤の座面の椅子が用いられた。極細のステンレス鏡面仕上げの脚が垂直に伸びたデザインは、この茶寮にかすかな緊張感を与えるものだ。

白を基調にした空間は、遠目には極めてミニマルデザインに見えるが、要所に手の込んだ意匠やテクスチャーがある。そして、米谷さんがプレゼンテーション時に「初めてのお客さんは気づかないかもしれないが、空間には意味を用意しておくので馴染みになってくれたお客さんにぜひ伝えてほしい」と説明したという時間の蓄積を表すのれんや、父、母、子が協力する様を3本の水流で表現したオブジェが本店にしかない特別感を与えている。

空間デザイナーによる建築の表現

建築外観は、開口部が小さく、コーナーに面した敷地に白い箱が置いてあるかのような佇まいで、道ゆく人からは、ここが飲食店なのか、クリニックやヘアサロンなのかわからないだろう。米谷さんに、開業当初から疑問に思っていた、店舗の

入口が建築の中央からわずかに右側にずれた配置となっている理由を尋ねてみた。すると、「店内のレイアウトを優先して考えていったので、結果的にずれました」という明快な答え。和菓子の工房、ショップ、茶寮をシンプルに配置していった結果、エントランスの位置が決まったのだと。また、「建築家ではなく、空間デザイナーが手掛けたという表明もしたい」という内なる思いもあり、建築を意図的に操作するのではなく、真四角で無垢な建築があって、内部空間がスリットからわずかに外へ染み出しただけ、という状態にとどめようと考えたという。デザインした時には、学生時代に武蔵野美術大学で学んだ建築家の三輪正弘さんの「人の居場所や行動をふまえ、外部は内部から決まるべきだ」という、かつて勇気をもらった言葉も頭にあったと明かしてくれた。

　開業から17年が経った現在でも古さを感じさせないことについて尋ねると、「10年後の和菓子店を求められた時に、未来をつくるということは、10年、20年経っても古びないものにすべきだと考えました。若かった当時は、普遍性という言葉を使うことに躊躇いがありましたが、近年、「アーティゾン美術館」（2020年）の設計に取り組んだ際に、普遍的なものをどう表現するかに行き着いたように思います。これからも、自分達が信じる世界観のもと、普遍性を突き詰めていきたい」と、タイムレスなデザインへの思いを語ってくれた。

　余白を意図的に残したデザインにおいて、どこまで手を加えるかという判断は、ロジックよりも経験や感覚に頼らざるを得ない部分だと想像するが、「素の条件に特化した」と米谷さんが語るように、素であること、つまり素材や形状のあるべき姿にこだわることで、ほぼ白一色のカラーパレットの中に、この店舗独自の豊かな個性が強く立ち上がっている。外観、アプローチからショップ、茶寮へと続く一連の体験は、建築を含むプロジェクトでなければなし得なかったことであり、アートワークとの近接を含め、後の仕事へと繋がる、トネリコらしさの原点を示す仕事の一つと言えるだろう。

18 イソップ 京都店 (2013年)

現代における日本の美学から導いた京都らしさ
—— 蚊帳越しに見せる漆喰の壁

1 | 蚊帳越しに天井から吊ったボトルのシルエットが見える外観。左端には井戸のしつらえ。

　オーストラリアのメルボルン発のスキンケアブランド「Aesop (イソップ)」は、各国で異なるデザイナーを起用して、一店ごとに異なる店づくりをすることで知られている。日本でも2010年の東京・青山での1号店以来、複数の設計者を起用するのが常となっており、さまざまな店舗を見ることができるが、ここでは日本文化の中心である京都というロケーションの個性をもとにデザインされた「イソップ 京都店」(2013年) を紹介したい。設計を手掛けたのは SIMPLICITY (シンプリシティ)の緒方慎一郎さんだ。緒方さんは、この京都店を皮切りに、東京・中目黒や大阪・心斎橋、神奈川・鎌倉の路面店等、複数のイソップの店舗をデザインしている。

京都であることの表現

　京都・三条の柳馬場通沿い、烏丸御池駅からは徒歩5分程の落ち着いた立地にあるこの路面店は、近づくに連れて白い漆喰仕上げの外壁に映るやわらかな陰影が徐々に見えてくる。数百年、時に千年を超える歴史のある建築や庭園が多く残

る京都の街は、筆者のようなビジターにとっては特別な場所であり、日本的なものに対する感度が鋭敏になった状態で店舗前に初めてたどり着いた時、余白のある端正な外観に期待が高まったことを覚えている。

　設計にあたっては、どんなプロジェクトでも常に歴史や風土、文化のリサーチから始めるという緒方さんは「長い間、京都が都だった歴史から紐解き、高貴な人が御簾の奥にいて気配は感じられるが姿は見えない、というあり方から、何かを秘めたような空間を考えました。また、日本語の縦書きの美しさをイソップのボトルを縦に並べることで表現し、陰と陽、光と影、白と黒という相反する二つの要素を配しました。」と振り返る。その後、敷地周辺の背景から、地下水が豊富であること、京町家のイメージ、格子やのれんといった要素をピックアップし、漆喰や土等のマテリアルを厳選してデザインとして落とし込んでいったという。

　エントランスから店内に入るとL字型のアプローチがあり、正面で視線を受け止めるのは黒光りした井戸のポンプと銅製の水鉢だ。これは豊富な地下水を活用してきた京都の街の歴史を感じさせると共に、手を洗うシンクをアイコンとして全店舗に設けるイソップ独自のスタイルに通じるものだ。また、アプローチ右手には黒く仕立てた特注の蚊帳が吊られ、その奥にはボトルを縦に連ねたディスプレイがある。

　日本に根付いた文化や素材を起点として、まだ見ぬデザインと空間体験を生み出していく、こうした“解釈”の巧みさは、日本の伝統に真摯に向き合い、時代に合わせて革新していくことを使命とするシンプリシティの独壇場と感じる。

白い漆喰が感じさせる“温かみ”

　店内のあらゆるデザイン要素を際立たせているのが、背景となる漆喰で仕上げられた壁の存在だ。白と黒の素材を基調とした店内は、モノトーンにもかかわらずとても温かい。白と黒の素材から生まれる“温かみ”に気づかされたのは、2009年にオープンした、緒方さんがデザインから経営まで自ら手掛ける日本料理店「八雲茶寮」だったと記憶するが、そこには、黒一つとっても多様なテクスチャー、深みのある色の濃淡があった。この京都店では、端部に丸みを持たせた漆喰の形状と、ダウンライトを使わずにペンダントやスタンドで照らした照明の効果に加え、白い売り場に至るまでに視界に入る墨色の床や、黒い蚊帳の質感により、白さの中に温かみが生まれているように感じる。そして、壁に穴をうがったような壁面棚には、

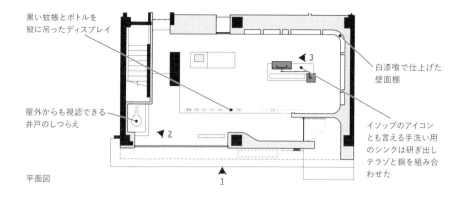

黒い蚊帳とボトルを
縦に吊ったディスプレイ

屋外からも視認できる
井戸のしつらえ

白漆喰で仕上げた
壁面棚

イソップのアイコン
とも言える手洗い用
のシンクは研ぎ出し
テラゾと銅を組み合
わせた

平面図

カテゴリーごとに製品が整然と並び、白壁と琥珀色のボトルのコントラストは、顧客に商品の美しさを強く印象付ける。

　世間一般に見るコスメティック店とは対照的なデザインがなされた理由を尋ねると、「イソップの中心にあるのは哲学であり、それを伝える手段がスキンケアなのだと理解しています。一般的なブランドでは世界中で同じ顔の店づくりをしていきますが、イソップが異なるデザイナーを起用しても各地で成功しているのは、商品よりも前に、創業者の確固たる哲学があり、その基準をもとに、パートナーとなるデザイナーをセレクトしてきた結果なのだと思います」と緒方さん。つまり、土地に根ざした空間がデザインされることは、イソップにおいては必然だったのだ。研ぎ出しテラゾーのカウンターのディテールは、町家の“おくど”から発想されたもので、経年変化を良しとする銅製の配管とシンクをアクセントとした凹凸ある表情は、ふと触れてみたくなるようなやさしさがある。

日本の伝統をアップデートして見せる

　京都のように文化の蓄積がある土地から、ある特定の時代性やデザインエレメントを抽出することは至難の技と思えるが、全体をつかさどるコンセプトを立て、敷地の背景から導いた要素やイメージ、最終的なインテリアデザインへと進むプレゼンテーションの内容を聞くにつれ、上流から下流までよどみなく連なった思考の流れが、この首尾一貫した店舗に結実したのだとあらためて納得した。

　1998年にシンプリシティを設立し、これまでの活動を集約して現在ではフランスにOGATA Parisを展開し、世界へ向けて日本文化を発信する緒方さんは、海外

ブランドの日本出店であれば、「日本でやるならばこうあるべき、という店舗のあり方をサポートするのが自分の役割」とその立ち位置を語る。この京都店のプロジェクトは、緒方さんと数年来の友人であるイソップ創業者のデニス・パフィティスさんからの依頼で始まった

2｜透過性のある蚊帳越しに売り場が見える構成。

というが、異なる文化的背景を持ちながらも共鳴する二人の感性から導かれた「イソップ 京都店」は、ただ美しいだけでなく、世界の人に伝わるかたちで、日本の伝統要素を現代にアップデートして見せたという意味でも極めて重要な事例だ。「現代における日本の文化創造」を掲げ、デザイナーとして、経営者として商いの場に身を置いて研ぎ澄ませてきた、日本の伝統に根ざす緒方さんの表現は、世界のストアデザインにおいて、競合のない境地に達しているように思える。

3｜シームレスに漆喰で仕上げた壁面棚を設けたショップエリア。左手前に見えるのはシンク。

19 オルソー ムーンスター (2020年)
惜しみない手間による、身体で感じるテクスチャー
── あられこぼしのフィッティング

1 | 自然石の平らな面を選別し敷き詰めるあられこぼしの技法で仕上げた、靴を脱いで上がるフィッティングスペース。

インテリアというのは、さまざまな小さなものごとの積み重ねでできている。そんな当たり前のことを思い出し、また、一つひとつの要素に込められたメッセージの大切さを認識させられたのが、福岡市中央区薬院の路面店「ALSO MOONSTAR（オルソー ムーンスター）」だった。創業150年の歴史を持つスニーカーブランド、ムーンスターの旗艦店で、デザインを手掛けたのは建築家の下川徹さんだ。

2020年のオープン当時は、残念ながら現地を訪れることができず写真を見て想像することしかできなかったのだが、詳細なコンセプトや現地を訪れた人の感想を聞くに連れ、同時期にオープンした物販店の中でひときわ輝いているように感じ、大いに注目していた。その後、2022年にようやく、設計者の下川さんと共にこの店舗を訪れることができたので、現地での印象をもとにその魅力を紹介したい。

庭師が丹念に仕上げた“あられこぼし”

下川さんは、設計に先立ち、歴史あるムーンスターの久留米工場を見学にいったところ、圧倒的なスケール感と、数百人の職人が丁寧にスニーカーをつくっている様子に感銘を受けたという。そこでの印象から、構想段階では、工場で見た雰囲気をそのままもってくることを一度は検討したというが「スケルトンの空間に少し手を加えて、“工場風”の空間をつくることはできますが、そのような空間はありふれているし、どうやっても本物の工場の空気感にはかなわない。そこで、ムーンスターのものづくりへの真摯な姿勢を伝えることに焦点を当て、手間を掛けて本質的なものをつくり込むことを目指した」と、デザインの根底にある考え方を下川さんは語る。

店内に見られる手間を掛けた仕上げの最たるものは、庭師が球磨川の川石を用いて“あられこぼし”で仕上げたフィッティングスペースの床だろう。あられこぼしとは、無数の石の中から平たい部分を選別して、すき間なく敷き詰めていく敷石の技法で、桂離宮の庭園にも使われる由緒正しいものだ。経験豊富な庭師でも1日に30cm四方を仕上げるのが精一杯という、途方もなく時間が掛かる技法である。現地で目にすると、一つひとつ異なる表情の川石がパズルのように丹念に組み合わされている様は、精緻なコンテンポラリーアートのような気品を感じさせるものであり、なんとも言えない自然の凹凸感と、ひんやりとした足触りが忘れられない。

また、フィッティングの手前には、沓脱石を設けて、玄関から別のスペースに入るような構成としている点もユニークであり、本来は屋外に使われるあられこぼしだが、ここで試し履きのために靴を脱いで上がることを示唆するデザインとなって

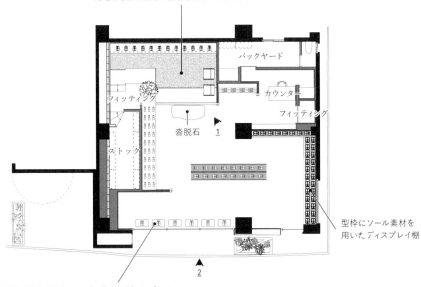

床をあられこぼしで仕上げたフィッティングスペース

バックヤード

フィッティング

カウンター

フィッティング

沓脱石　1

ストック

型枠にソール素材を
用いたディスプレイ棚

2

天然ゴムの塊にシューズを載せたディスプレイ

平面図

いる。 フィッティングスペースの壁は、光沢のある土佐漆喰の研ぎ出し仕上げで天
井までシームレスに繋ぎ、最奥の床の間のような台はコーポレートカラーであるブ
ルーのテラゾで設えた。研ぎ出した表面に見える小石の断面が美しく、ナチュラル
な色味で構成された店内にブルーが際立ち、自然とそこに並ぶ商品へと視線は誘
導されていく。

質素な材がつくり出した繊細な佇まい

　また、もう一つ、この空間のコンセプトを体現しているのは、アカマツの野縁材
を仕上げとして用いた天井と壁だ。一般的には下地材として使われる45mm 角の
角材の一本一本に相じゃくりの加工を施し、底目地をとった極めて丁寧な仕事だ。
ここで驚かされたのは、手が違うと仕上がりにばらつきがでるので一人の大工だけ
で5ヵ月掛けて施工されたという事実だ。過去に下川さんがデザインした、スギ材
を用いたギャラリーでも目地を徹底的に揃えたディテールに惹かれたが、オルソー
ムーンスターでも天井と壁の目地をきっちりと通し、「そうしたことを突き詰めた先

2 | 窓際ではムーンスターのソールを象徴する天然ゴムの塊の上にシューズをディスプレイしている。

に、違うものが見えてくる」という言葉どおり、細身の材がつくりだす繊細さと底目地の深い奥行きが、この空間を特別なものと感じさせる。また、機能面から必要となるスポットライトやダウンライトと天井面との取り合いを、目地ラインを損なわずに丁寧に納めたことで全体の凛とした印象が保たれている。

　店内の売り場では、工場で靴を製造するために使われるベルトコンベヤーを什器として転用。壁際の陳列棚の天板は陶板、側面はコンクリートの型枠にムーンスターの主力製品であるオールウェザーとジムクラシックのソール素材を用いており、よく見ると、ソールに刻まれる Made in Japan の文字がそのまま転写されていて、好奇心を刺激される仕掛けとなっている。そして、コンクリートの仕上げ一つとっても、陳列棚の上面は研ぎ出した平滑な仕上げ、既存の柱は凹凸のあるビシャン仕上げとする等、野縁材の壁と同様に、素材の希少性や高価であるかという尺度ではなく、手間で空間に違いを生み出そうとするコンセプトをダイレクトに伝えるものばかりだ。

優れた職人との関係性から導かれるディテール

　職人の技術に価値を見出し、さらにそこから新しいデザインを引き出していくような設計手法の秘訣を尋ねると、優秀な職人との日常の対話の中から、クライアントに提案する前であっても常にアイデアを発展させていく関係性があるからできるのだという。材料にも好みがあるという下川さんは「基本的に僕はモノが好きで、普段から素材や家具、民藝等をストックしているので材料ありきで考えていく時もあれば、あの人に頼めばこんなことができるだろうと、その技から考えていくこともある。職人さんの力を借りながら、その技術の集合体をコントロールしています」と付け加えてくれた。

　「惜しみない手間を掛けてつくり込む。そうやって時間を掛けた空間は、建築に縁のないお客さまにも、心を揺さぶる何かを感じさせられると思った。ムーンスターの歴史を伝え、ムーンスターにしかできない唯一無二のショップをつくる」という下川さんの想いのもと、この店舗では、内装工事に約6ヵ月が費やされた。テナントとして賃借する立地で、工期を十分にとれたのは、クライアント側のコンセプトへの理解があったからという。オルソー ムーンスターには、現代のショッピングセンター等で顕著に見られる、短期間での改装サイクルを前提とした短工期を追求する店づくりへのアンチテーゼとしてのデザインと、ここでしか得られない手触りやマテリアルの量感がある。ここで目にする手仕事が最上級なことは言うまでもないが、老舗の誇るスニーカーづくりの思想を、精度高くショップ空間へと翻訳、変換していったコンセプトメイキングの凄みをぜひ現地で感じてほしい。

20 小田垣商店 本店 (2021年)

江戸後期の様式に倣い、仕上げ材を選定する
—— 町家石の床とアートとしての石庭

　江戸時代末期から大正期にかけての街並みが残る兵庫県の丹波篠山の「小田垣商店」は1734年に創業した黒豆専門店であり、彼らが昭和初期に取得して事務所や店舗として使っていた複数ある建物のうち10棟は、国の登録有形文化財に登録された由緒あるものだ。それまでBtoBを中心としていたビジネスを、より広く一般顧客に訴求していくために、価値ある建築を活用しようというタイミングで全面改修のデザインを任されたのが、現代美術家の杉本博司さんと建築家の榊田倫之さんが率いる建築設計事務所、新素材研究所だった。

大正初期をピークと捉え、当時の様式に倣う

　1700年代から1900年代初頭に建った歴史ある建物を三期に分けて順次手を入れていくにあたり、新素材研究所が打ち出したコンセプトは、「時代を環（かえ）る建築」。「増改築を重ねて現在に至る中で、建築としてのピークは、当時最先端だった洋館が建てられた大正初期と捉え、その頃の様式に倣うことを基本として設計を進めました」と榊田倫之さんは振り返る。新たにデザインするよりも、増改築を経てアルミサッシ等が付け足されていた建物から、不要なものを取り除く作業が大半だったというが、「造形で個性を出すのではなく、どこを新素材研究所がデザインしたのかわからないと言われるのが成功と考えた」との言葉に彼らのスタンスがよく現れている。耐震診断の結果、大掛かりな構造補強が必要となったが、そこでも鉄骨や炭素繊維を使うのではなく、当時の姿を尊重し、在来工法で壁量を足す方法が選択された。

　当時の姿に戻していくような改修の中で、新たに付け加えられたのが、ショップ部分の床全面に敷かれた町家石だ。建築が江戸後期のものだから、それにふさわしい時を経たものしか使ってはいけないという杉本博司さんの強い意思のもと、江戸時代のものから、新しくても百年程を経た石が選ばれた。磨けば冷たい表情にもなる花崗岩だが、さまざまな年代、産地の石が混じることによりわずかな色の差異が生まれており、ところどころに見られる角が取れた形状と相まって温かみを醸

配置図

ショップ部分の床には町家石を敷き詰めた

今回の改修で整備された半屋外的に使うことのできる土間

既存の壁を取り払い舞台のように設えた渡り廊下

（図中ラベル）旧酒蔵 ／ トイレ ／ イベントスペース ／ 蔵 ／ 待合 ／ 茶室 ／ 厨房 ／ 坪庭 ／ ショップ ／ カフェホール ／ 渡り廊下 ／ 石庭 ／ 彩智菓庭 ／ 洋間 ／ カフェ ／ 伊勢砂利（砂紋）／ 土間

し出している。黒豆を並べる什器には、棗型の手水鉢が使われているが、これも江戸後期以降に流行したもので、時代性を合わせて選ばれたものだ。

　また、店内の壁には、左官の名人としてよく知られる久住章さんが監修した黒漆喰や、自ら漉いた和紙でアートからインテリアまで多様な表現に取り組むハタノワタルさんによる黒谷和紙を用いる等、写真ではなく、現地で見て手を触れることでその手仕事の価値が伝わるマテリアルが、いっそう質感を高めている。

杉本博司作の石庭と、カフェに現代性を与えるオリジナルの椅子

　ショップと共に、第一期工事の見せ場となっているのは、敷地中央に設けられた石庭だ。改修前は、建物間を繋ぐ渡り廊下で分断されていたものを、渡り廊下を能舞台に見立て、視線を遮っていた壁をすべて取り払うことで、全体が見通せる一体的な庭に生まれ変わった。現代美術家・杉本博司さんによる巨大なアートワークと言えるこの石庭では、環状に石を配した白州と、雁行する延段の奥には苔庭を見ることができる。延段の一部に使われた、黒く丸みのある加茂真黒石は、黒豆から想起されたものだ。また、庭に面してあった縁側は、改修前は倉庫の一部のように使われていたというが、濡れ縁として復元し、日本建築にあるべき内外の正しい関係性を再構築している。

　庭を望む絶好の場所に配置されたカフェ「小田垣豆堂」では、スギの銘木から取っ

1 | 現代美術家の杉本博司さんによる石庭。壁を取り払った渡り廊下は舞台としても使われるという。

た2枚の共木を継いで、1枚に仕立てたカウンターの前に、座り心地の良いオリジナルの椅子が並ぶ。カウンター上の景色を邪魔しないよう、椅子の背もたれはカウンターを超えない高さとなっているが、包み込むような背もたれのホールド感は心地良い。椅子をデザインした理由を榊田さんに尋ねると、「家具も自分達の考える空間の在りように合わせたいと常に思っているので、オリジナルとしました。私にとって家具づくりはライフワークであり、デザインする際には、建築家としてデザインを解いていきたい、という思いで取り組んでいます」。背もたれは両面をラタンで包んだ美しいもので、後方にスラリと伸びた特徴的な脚は、接合部に金物を入れることで必要な強度を確保したという。素材選びの理由も、日本建築の変遷に詳しい榊田さんらしいものだ。「過去に、堀口捨己や吉田五十八が、新興数寄屋にラワン等の南洋材を好んで使っていたことがあるのですが、私自身も日本的な空間にそうした材を合わせにいくのは良い選択だと思っていたので、ここでは、南方志向のイメージからチーク材とラタンを用いました」。アノニマスな佇まいを目指した建築に対し、家具や什器のデザインではある種の緊張感を与えることで建築とのコントラストを意図したというが、この椅子は、カフェ空間をショップと差別化し、カフェで過ごす時間をコンテンポラリーな時代性に引き寄せる役割を果たしている。

店舗の営みを通りに滲ませる土間の存在意義

　第三期工事を控え、今も現地に通う榊田さんに、現時点で狙いどおり機能した部分を尋ねると、メインエントランス内の「空地」との意外な答えが返ってきた。前面道路から黒豆の看板を掲げた壁面までの土間のようなスペースは、あまりにも自然で改修前からあるものだと思い込んでいたが、ここに半外部空間をつくることは、新素材研究所による大きな提案だったのだ。オーナー側からは店舗面積が減ることへの懸念もあったが、日本建築には、こうした中間領域が絶対に必要だと説得して実現したという。その結果、人の営みが通りに滲み出し、地域の祭りでは自然と人が集まる場となり、地域の人々にもひらかれた場所になっている。

　この「小田垣商店」の改修デザインの価値を言い表すには、単に保存された部材の量で測るのではなく、"純度"という評価軸がふさわしいと感じる。300年前から丹波篠山の地にあること、そして、建築の当時の姿を想像しながら、極めて純度高く魅力を抽出し、そこに、求められる機能を満たすいくつかのオプションを加えてできあがったのが、現在の小田垣商店なのだ。オプションとは、杉本さんが庭

の新機軸という石庭であり、町家石や手水鉢等の骨董、そして、細部までこだわり抜いたオリジナルの椅子達だ。稀代の目利きである新素材研究所の目をとおしてそれらを加えたことで、純度を削ぐことなくさらにピュアなものとして、この建築の魅力が来店者に伝わる。

　"様式に倣う"手法の真意は、元に戻すことを意味しているのではなく、歴史を尊重し、学びながら新たなオリジナルを創造する行為なのだろう。今後は茶室の整備や洋館を宿泊棟にする計画が発表されており、次なるステージを早く体験してみたい。

2 | カフェにはオリジナルチェアが並ぶ。

21 ナイキ ワンラブ (2007年)
シューズが街を彩る —— 巨大なシリンダー形ショーケース

ファッションの単一カテゴリーの商品にフォーカスした専門店では、デニムであればインフィクスによる京都の「ドゥニーム」(1998年)や、スウェットシャツならば Wonderwall® による「ループウィラー」(2005年、p.62)等が思い浮かぶが、スニーカーのショップとしての抜きん出たデザイン性と、街に対する佇まいから鮮烈な印象を受けたのが、この「NIKE 1 LOVE(ナイキ ワンラブ)」だった。設計を手掛けたのは、鈴野浩一さんと禿真哉さんが率いるトラフ建築設計事務所だ。

営業形態に基づく、シューズが並ぶ過程を見せるというアイデア

この店舗を訪れた人の記憶を特別なものとしていた理由の一つは、1年間限定というユニークな営業形態だろう。「エアフォースワンというシューズの発売25周年を記念して企画された店舗でした。1年間だけ営業するという話を聞いて、ナイキは建築を広告のように考えているんだ、と衝撃を受けたことをよく覚えています」と鈴野さんと禿さんは当時を振り返る。

東京・裏原宿のキャットストリート沿いに建つビルの1階、竹下通りからもアクセスしやすい立地で、歩道レベルからは階段越しに見上げる店内にそびえ立つ円筒形のガラスショーケースが、スニーカーファンを魅了した。この什器は、2週間ごとに20足程の新しいシューズを入荷し、その時点で前回入荷分の商品はショーケースに入れて販売終了とする、という営業プランに基づいて計画されたものだ。「1年間の営業を終える時には、約300足のシューズを展示することが求められたので、デザインし始めた時には、へこみに一つずつ靴を収納していく案等を考えたりもしましたが、300足が並ぶまでの過程を見て楽しめるように、透明のショーケースを設け、店内中央に象徴的に置くアイデアに至りました」と二人は言う。

ガラス職人との対話から生まれたガラス形状

円弧を描くシリンダー形とした理由については、鈴野さんが興味深い逸話を明か

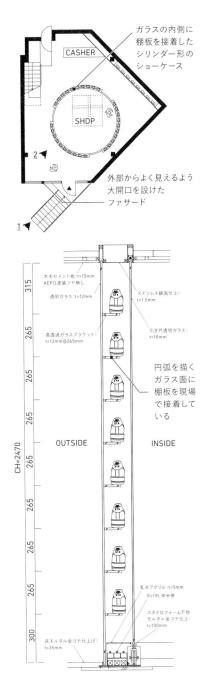

ガラスの内側に棚板を接着したシリンダー形のショーケース

CASHER

SHOP

2

外部からよく見えるよう大開口を設けたファサード

1

315

木毛セメント板：t=15mm
AEP白塗装ツヤ無し

透明ガラス：t=12mm

ステンレス鏡面仕上げ：t=1.5mm

265

高透過ガラスブラケット：t=12mm@265mm

引き戸透明ガラス：t=10mm

265

265

円弧を描くガラス面に棚板を現場で接着している

OUTSIDE
INSIDE

265

265

265

265

CH=2470

265

265

乳半アクリル：t=5mm

265

仕上げFL蛍光管

スタイロフォーム下地
モルタル金ゴテ仕上：t=100mm

300

床モルタル金ゴテ仕上げ：t=35mm

上｜1階平面図　下｜什器断面図

してくれた。「ガラス製の什器をつくるにあたり、ナイキ側の担当者との繋がりで、倉俣史朗さんとの仕事等でよく知られる三保谷硝子店を紹介してもらい、三代目社長の三保谷友彦さんと打ち合わせをしました。その時に、僕らが当初考えていた、L字型を二つ組み合わせたような四角いガラスケースのアイデアを見て、『うちとやるならこれくらいしないと』って、三保谷さんがグリグリと丸いラインを図面上に書いたんです。当時、オープン日が迫る中で、工期と予算が気がかりだった僕らは、そんなことが可能ならぜひチャレンジしたいと思いました」。鈴野さんらは、いつも職人や現場とのやりとりを重ねて、より良いものをつくりたいうスタンスであり、これは願ってもない提案だったという。デザイン上の効果について、こうも語ってくれた。「円筒形のケース内に同じ向きにシューズを並べると、動きが表現できることに気づき、魚の群れが水槽の中を回遊しているようで、絶対におもしろいものができると感じました。また、円形にすると内側のスライド扉が大きく開けるようになり、商品の入れ替えがしやすくなることも大きな利点でした」。

　靴を並べるために、円弧状に加工した二重のガラスのうち、外側にあるガラスの内面に、エッジまで透明で美しい高透過ガラスの棚板をフォトボンドで接着した。フォトボンドの接着が維持できる期間は、

1 | キャットストリートから見た外観。水族館の水槽のような円筒形ガラスケースがよく見える。

2｜顧客はケースの内側から商品を見ることもできる。棚板は外側のガラス面に接着されている。

1〜3年程度と言われていたので、期間限定店で、かつ来店者が手を直接触れない場所だったことで可能になったデザインだという。「曲面ガラスと棚板の間にすき間ができてはいけないので、紙一枚も入らない程ぴったりカーブが合うよう現場で加工を施して、気泡を入れずに圧着していく、極めて高い精度が求められる施工となったのですが、倉俣さんの仕事でおなじみの施工会社イシマルさんと三保谷さんのチームだから実現できたのだと思います」と施工を振り返る。洗練されたガラス什器とは対比的に、外周部の壁はラフな表情の木毛セメント板で仕上げられており、ショーケース内は円を強調するように、中心部がスポットライトとアッパーライトで明るく照らされた。

街ゆく人に訴求する大胆な開口部

　一方、外壁では店内中央のガラスケースが歩行者からもよく見えるように、キャットストリート側に大きな開口部が設けられた。「街ゆく人から、何だろうあれは、と思ってもらえるように外壁を壊して開口部を設けました。あの頃はまだファッション系の店舗を手掛けた経験がなかったので、ガラスケースにしても通りへのひらき方にしても、かなり大胆だったと思います。現在だったら、あれ程思い切った決断ができたかはわかりませんね（笑）」と鈴野さん。営業開始時には、商業っぽさを排除するため、外壁に一切サインを付けなかったことも、この店の特殊性をいっそう高めていた。

エアフォースワンの回遊水族館

　店内2階には、カスタムオーダーをするためのサロン「ナイキ iD スタジオ」が設けられた。1階の水槽のイメージから、2階床は水色のカーペットを選択。サロンから見下ろすと、「エアフォースワンの回遊水族館」という彼らのコンセプトどおり、水面に見立てたカーペットの下にシューズがぐるりと見える構成となった。水面らしく見せるために、吹き抜け側に現れるカーペットの端は薄い鉄板だけで支持する等、ディテールへの配慮も抜かりない。また、空間においても“ナイキらしさ”を追求するクライアントに対して、最新のテクノロジーを商品開発に生かすナイキの姿勢に通じる高精度のガラス什器の仕上がりや、エアフォースワンのソールパターンを模した2階の意匠壁等により、期待に応えることができたと鈴野さんは振り返る。そして、設計のアプローチについてはこう付け加えてくれた。「このプロジェクトでは、シューズのように小さなモノから考えて、ショーケース、建築へと、だんだん大きいスケールに展開していくデザインの方法を採りました。今も僕達が大切にしている“モノから発想する”という手法が、当時の世の中では新鮮に受け止められたように思います」。

　2000年代を象徴するこの店舗は、ナイキ側が求めた要件に対し、事務所設立から4年目、若手と呼ばれていた頃のトラフ建築設計事務所の二人が思い切りフルスイングしたデザインを、日本随一の施工チームが形にしたことで生まれた。靴を買いに行く店舗という意味合いだけでなく、靴をカスタムオーダーする行為や、ショップに靴を見にいく行為さえもが、人に自慢したくなる体験となり、リアルな空間の価値を知らしめる店舗だったと感じる。

22 CA4LA 表参道店 (2013年)
老舗の品格を伝えるディテール
—— 精緻な壁面ディスプレイ棚と支柱

帽子の専門店、「CA4LA (カシラ) 表参道店」は、同じく表参道沿いの100m 程離れた場所で営業していた店舗が移転する形で2013年にオープンした。設計したのは、2004年から、同ブランドの店舗を一貫してデザインしてきた、勝田隆夫さん率いる LINE-INC. (ライン) だ。この店舗を紹介したい理由を一言で言うならば、ブランドの世界にどっぷりと浸ることのできる感覚があることだ。ブランドらしさとは、一朝一夕に生まれるものではないことは容易に想像がつく。ブランドの世界観に浸らせてくれる店舗デザインの魅力が、どこから生まれているのかをここでは改めて考えてみたい。

ミュージアムをテーマにした帽子専門店

CA4LA は、日本発の帽子専門ブランドで、オリジナル製品と海外のセレクトアイテムを扱っている。日本国内に21店舗、海外は台湾に2店舗展開しており、その旗艦店がこの表参道店となる。路上レベルにはあるものの前面の歩道から、かなり奥まったテナントのため、入居前に交渉し、天井には劇場のエントランスのような光天井を、床には店内へと繋がるモザイクタイルを用いることで、インパクトのあるショップの顔をつくり出すことに成功した。そして、この店舗を訪れた人が、まず圧倒されるのは、エントランス内の広大な吹き抜け空間だろう。吹き抜け中央には、その天井高さを最大限生かすようなステージが設けられ、勝田さんが「POP-UPのような位置付け」という空間では、季節に応じた VMD が展開される。また、右手の壁際には一面の棚と回廊を設け、1、2階にぎっしりと帽子が並ぶ様は圧巻であり、2階に上がってみたいと思わせるデザインとなっている。

全体の雰囲気については、ディレクターの秋元信宏さんとの対話から導かれたテーマ「hat museum」をもとにデザインが進められたという。そして、秋元さんからいつも求められるのは、老舗感だった。そんな揺るがないクリエイティブディレクションのもと、ラインとの長きにわたる店づくりが今も継続している。

1｜吹き抜け越しに店内を見る。二層に及ぶ壁面棚の棚板を支える柱には凝った意匠が施された。

顧客を飽きさせないための仕掛けとして生まれた支柱の装飾

　特に印象深いのは、帽子がディスプレイされる棚什器のデザインだ。棚板の支える支柱は、長さ40cm程度の部材ながら、この表参道店では、上下に面材をくまなく回し、中央は真鍮製の枠を象嵌した、極めて密度の高いデザインがなされている。過去にラインが手掛けたCA4LAの店舗では、この支柱部分をソリッドな木だけで仕上げたものもあれば、金属を組み合わせたものや円柱や曲面の材を使ったもの等、さまざまなバリエーションがあり、地袋の収納棚まで含めてデザインされた工芸的なディテールが、オーセンティックな帽子をさらに強く印象づける仕掛けとして機能していた。この帽子棚の支柱に、凝った意匠を使い始めた理由を聞くと、棚のスパンが2000、3000mmと長くなった時に、ただ帽子を横に並べていくと単調に見えるので、お客さんを飽きさせない仕掛けとして考え出したものだという。

　この壁面棚以外にも、勝田さんこだわりの木製什器が表参道店にはある。当時訪れたキューバで買った葉巻コイーバの木箱の質感がとても気に入って、それを

2｜路面店ながら奥まった位置に入口があるため、ビルと交渉して実現したという光天井のある外観。

仕上がり見本として、黄色味が強くしっかり光沢のあるウレタン塗装で製作したものだ。「什器や家具の細部はいつも原寸で検討するのですが、CA4LAは面材を多く使うので本当に難易度が高く、装飾を扱う知識と経験が求められます。最近は予算上の制約もあり、他のブランドでここまでできる店舗は多くありませんが、CA4LAはクライアントのデザインに対する意識が高いので、毎回新しいことに挑む苦労はありますが、妥協せずに突き詰めていくおもしろさがあります」と勝田さん。

家具づくりのキャリアで培われたディテールへの意識

　一つひとつのディテールにこだわるようになったきっかけを聞くと、学生時代にインテリアを学んだ後、エグジットメタルワークサプライの創設メンバーの一員として、自分達の手で家具や什器をつくることからキャリアをスタートした経験が大きいという。「エグジットで家具製作をしていた20代の頃は、家具を並べてインテリアをつくるという考え方で空間の設計に取り組んでいました。しかし、その方法に限界

を感じ、2000年前後、独立してラインを立ち上げる少し前くらいからは、インテリア全体を考えた上で、家具や什器のデザインを決めていくという順序とすることで、より自由に空間をデザインできるようになりました。しかし、細部を大切にする意識は昔から変わりません。長く使える素材で丁寧につくったものは、傷がついても味になるし、古びてさらに良くなっていく」と語る。

木部を勝田さんお気に入りの葉巻のボックスと同色に仕上げた什器

古いレンガ建築を店舗に
コンバージョンしたかのような
アーチ窓を埋め戻したレンガ壁を
精緻につくり込んでいる

ダイナミックな VMD を見せる吹き抜けのディスプレイ

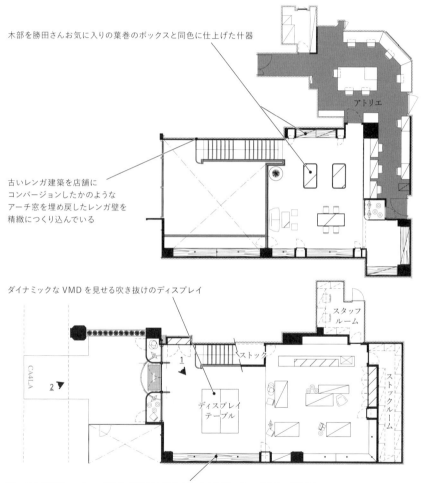

壁一面の帽子用シェルフの部材には面材を組み合わせた密度の高いデザインが施されている

上｜2階平面図
下｜1階平面図

114

数多くのファッションブランドの店舗を手掛ける勝田さんに、どうやってそれぞれの世界観をつくり分けているのかを聞くと、そこには定番の解法があるわけではなく、自分が店内に入った感覚でシミュレーションをすることに尽きるという。そして、自分の体験をもとに、空間だけではなく、サービスを含め、どのような気分になれるかを常に考えるのだと。この表参道店を例に挙げると、「CA4LAでは素材感がとても大切なので、床にパターンを描いた大理石、天井の古材、アンティークのレンガ等を選びました。また、隣の店舗と比べられる大型商業施設ではできない方法ですが、照度をかなり抑えることで、この店舗の独自性や老舗らしさが伝わるようにしています」と説明してくれた。

別世界に強く引き込むための気配り

　ディテールのみならず、この店舗では、CA4LA初となるブライダルコーナーや、ガラス越しにミシンで作業するスタッフの姿が見えるアトリエが設けられた。表参道という立地で、帽子の型入れや縫製、修理やメンテナンスを行う様子が見られるのは、帽子ファンにはたまらない体験となる。勝田さんへの取材を通して一つ確認できたことは、冒頭に書いた"浸れる"感覚とは、インテリアのテイスト、手を触れるディテール、接客、もちろんそこで販売される商品にいたるまで、あらゆるものを整えて、ようやく立ち現れてくるものなのだろう。この表参道店のレンガの壁一つをとっても、きっちりと図面を書いて指示したというアーチ窓を埋め戻したディテールをつくり込んだように、商品の背景となる部分も抜かりなくデザインすることで、訪問者を別世界に強く引き込むことができるのだ。

　日本のインテリアデザインを筆者が外から見るようになって感じるのは、シンプルな形状で素材の持ち味を見せるミニマムなデザインも一つの大きな特徴ではあるが、このCA4LAのように、施工精度を高め、ディテールを緻密につくり込んでいく手法も、日本のインテリアデザインの質を高め、世界にその価値を知らしめている大きな個性だということだ。短期間かつ低予算の店づくりが求められる時代に逆行するような、手間を惜しまずオリジナルの表現を追求し、共に高め合ってきたCA4LAとラインという業界屈指のコンビネーションによる店づくりは、現在進行形の"東京生まれの老舗"の貴重なモデルケースだ。

23　デサントブラン 福岡 (2015年)

ストックを上下に動かし空間に変化を与える
——電動ウィンチにより高さを変えるハンガー什器

スキーマ建築計画の長坂常さんは、店舗、住宅、家具、最近では韓国・済州島のエリアリノベーション的な街づくり等、さまざまな領域で活躍する建築家だ。常識に捕われず、クリエイティビティーで制約を勝因に変えてしまうような仕事を何度も見てきた。20世紀の欧米がリードした設計手法を発展させて素晴らしい建築をつくる人は21世紀にも大勢いるが、それらとはちょっと違う価値を提示してくれる人と言ったらよいだろうか、"かっこいい建築"の物差しを変えた人として長坂さんの仕事は22世紀の教科書に載ると筆者は勝手に思っている。社会が成熟、停滞した日本で、制約の多いリノベーションを数多く手掛けたからこそ、行き着いたデザインの手法と言えるかもしれない。日本の空間デザインを俯瞰した時に、筆者の中では「スキーマ前とスキーマ後」というように時代が分かれ、スキーマ後には、こうしたディテールが当たり前になったよね、という現象があるように思うのだ。彼らの考え方を知らしめたプロジェクトとしては、集合住宅を改修した「Sayama Flat」があまりに有名だが、ここでは多店舗展開する店舗でこんなことができるのかと衝撃を受けた、「DESCENTE BLANC（デサントブラン）福岡」を紹介したい。

スピーディーな購入体験のための機構

　スポーツウェアブランド、デサントの直営新業態店としては最初に代官山店があり、同じコンセプトに基づいて1週間後にオープンしたのがこの福岡店だ。デザインコンセプトは「空間に動きを取り込むこと」。長坂さんは、同社から設計依頼を受ける前年に、たまたま知人に薦められて「水沢ダウン」をデサントのショップに見に行ったところ、10万円越えの値札を見て、ちょっとこれは……と思っていたが、店頭で説明を聞くうちに性能に圧倒されてつい購入した経験があったという。水沢ダウンとは従来のダウンウェアの弱点を解消する新技術とクラフトマンシップを生かし、岩手県奥州市の水沢工場でつくられた高機能ダウンジャケットで、デサントがファッション界から注目を浴びるきっかけとなったものだ。

　設計するにあたって「自身の経験もあり、この性能をきっちり説明すれば、お客さんは買ってくれるだろうと。そして、冷静になる時間を与えずにすべてをスピーディーに完結できるようにしたいとまず考えました」と長坂さん。そして、商品説明からお客さんに届けるまでのパターン出しから生まれた、ストックが店内の高いところに吊ってあり、それが降りてきてそのままお客さんに商品を渡せる、というアイデアが採用される。「店舗のスタッフがストックに商品を取りにいき、お客さまに届け

左頁｜上下動するハンガー什器を設けたインテリア。営業中は手の届く高さ（写真下）に商品が並ぶ。

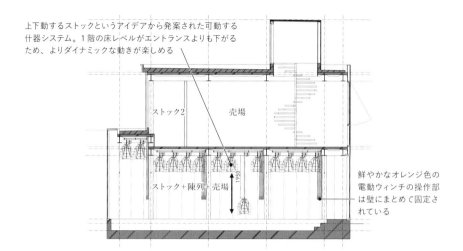

上下動するストックというアイデアから発案された可動する
什器システム。1階の床レベルがエントランスよりも下がる
ため、よりダイナミックな動きが楽しめる

ストック2　　　　　売場

ストック＋陳列＋売場

1950

鮮やかなオレンジ色の
電動ウィンチの操作部
は壁にまとめて固定さ
れている

断面図

る過程を再デザインした」と言うのだ。また、店舗の印象が日々変わることもこのデ
ザインの大きなポイントだった。「情報がどんどん更新される時代に、お店だけが
変わらない状態に違和感を覚えていたので、ハンガーが動くことで訪れる度に変化
するのは、僕らが求めるお店のあり方と合致した」と長坂さんは説明する。クライア
ントの反応は上々で、電動ウィンチを使えば限りある予算内で上下動するシステム
が実現できそうだと、とんとん拍子にプロジェクトは進んでいく。代官山店で、ハ
ンガーが上下する様子を見た時には、すべてが上に上がり、店内ががらんどうとな
る様子に興奮を覚えたが、その後、福岡店を訪れて、同じシステムが福岡にも展
開していることにさらに驚かされた。それは、この大掛かりな機構が、一回限りの
展示会や特別な店舗用のデザインと思っていたからだ。福岡店は代官山よりもフロ
アが広いため、よりダイナミックな動きを感じることができる。
　大型商業施設内にも出店は続いていくが、このハンガーが商業ビルにある様子
を想像してみてほしい。他店が、ハンガー什器はこれくらい、パンツやシャツを見
せる棚はこれくらいとセオリーどおりに設計されるのに対し、デサントブランの店舗
は、上下動するストックはここ、フィッティングルームはこちら、という具合に別の
思考からデザインされているので、仕上がったインテリアは大きく異なる様相となる
のだ。その後も、同じコンセプトを保ちながら、2019年には東京・神宮前の旗艦

店「デサント トウキョウ」が、2020年には北京店等が誕生している。

デザインのためのデザインをしない

　ディスプレイテーブルやカウンターは、アノニマスな素材の代表とも言える型枠合板、フィッティングルームは仮設現場のようなシート張りでファスナーを開閉して入るオリジナル仕様だ。ちなみに、ファスナーで開閉するフィンティングルームの傑作としては、ワールドベーシックのポップアップストア（2013年）もあるので、スキーらしい遊び心に興味がある人はぜひ参照してほしい。こうした素材選びと独自のアウトプットの根底には、不必要な仕上げを一切しない彼らの流儀があり、そこがデサントの高機能ウェアやギアづくりの思想と相性よくフィットしている。また、各店の天井に設置されたウィンチはそのまま露出されており、美しく這わせた配線の先に鮮やかなオレンジ色のコントローラーが整然と並ぶ姿は、工場の装置のようでワクワクさせてくれる。

　長坂さんは、自身の設計へのスタンスを「ある時から"デザインのためのデザイン"はあまりしなくなっていて、どちらかと言うと、人がどう動くとか、物がどう人と触れるかに興味がある」と説明する。店舗をつくる上では、かつて、アートブック店の「ナディッフアパート」（2008年）を設計した時に、店主の芦野公昭さんから聞いた話がその後の設計に生かされているという。「重たい美術書を立ち読みしてもらうには、手で持つのではなく本をちょうど置ける台のような高さに本が平積みしてあるといい、といった本を売るための方法論を教えてもらったのです」。そうした店舗での実践的な売り方や商品の見せ方がおもしろくなったきっかけがナディッフであり、その後、しばらく時を経て、そうした考え方を実践していったのが「トゥデイズスペシャル自由が丘」（2012年）や一連のデサントブラン、「ヘイ トウキョウ」（2018年）だという。ヘイでは、使いながらも変化、進化に対応できるよう各所に支柱を移動できるデザインがなされており、"動き"や"変化"というキーワードでスキーマ建築計画のデザインの変遷を見ていくのも興味深い。長坂さんは、建築との向き合い方や自身のものづくりへの思考を、近著では"半建築"と書名に表していたが、"誤用"、"見えない開発"等とテーマを掲げて、意思を発しながら創造を続ける様子を見ていると、同時代の東京に育った身としては、長坂さんが都庁をリノベーションしてプリツカー賞を獲るとか、首都圏の空港のマスタープランを引き直す未来があったら楽しいだろうな、等とつい妄想してしまう。

24 イグアナアイ 青山本店 (2014年)
建築の中にもう一つの箱をつくる —— アルゴリズムを用いたアルミ製ドーム

1 | ブランドコンセプトから発想したという、オーガニックな形のドーム天井が店内を包み込む。

　パリを拠点とするプロダクトデザイナー、オリヴィエ・タコさんが立ち上げた「iGUANEYE（イグアナアイ）」は、2011年の創業以来、EC を中心に展開してきたフットウェアのブランドだ。同ブランドにとって、世界初となる実店舗がこの青山店で、設計は水谷壮市デザイン事務所の水谷壮市さんが手掛けた。

　表参道のスパイラルの裏手にあるビルの1階にある、バックスペースを含めてもわずか10坪程の店内中央には、歪めた球体をスパッと半分に切り、入口を大きく穿ったような形状の白いアルミ製のドームが据えられていた。ファション系の物販店としては、はっきり異質と言えるミニマルな空間デザインについて、その背後にある水谷さんの思想を紐解きながら振り返ってみたい。

曖昧なイメージを空間化するためのアルゴリズミックデザイン

　イグアナアイの商品は、アマゾンの先住民が足裏にゴムの樹液をつけて燻し、第二の皮膚のようにして足を保護していたことからインスピレーションを受けた、サンダルの部材を極限まで減らしたようなエストラマー素材のフットウェアだ。この斬新なコンセプトを受け、「原始的なアイデアをもとにした、全く新しい履物だというメッセージを伝えるために、垂直な柱や水平な床が当たり前になる前、つまり建築という概念ができる前の"原始の記憶"とでもいうような空間のイメージをここに表現できないかと考えました」と水谷さんは設計のスタートを振り返る。

　また、いったん頭の中で構想した三次元のイメージを、数値と線に置き換えて図面化し、それを施工していくという一般的な設計プロセスでは、どうしても思い描いた像とのギャップを感じていた水谷さんは、自身の中にあるぼんやりとしたイメージを、ダイレクトに空間化することができれば、それは一番新しい表現になり得ると考えた。そのために協力を依頼したのが、メーカーズレボリューション（以下MR）というメーカーとデザイナーからなるチームであり、そこで出会った東京藝術大学大学院で建築構造を学ぶシタムマラッド・ワンナボンさんとの連携が、このドームを具現化するキーとなる。考え方を余すことなく伝えようと休暇に二人で旅をしながら徹底的に話し合い、いくつものスケッチを渡した後、ワンナボンさんがアルゴリズムを用いた専用ソフトで立ち上げた三次元モデルを見た時は、まさにこれが思い描いたものだと直感する出来栄えだったという。

独立当初に思い至った"引き算"の手法

　そして、この洞窟をCG化したような意匠を増幅させるのが、外壁を突き抜けるように内外を貫く1枚のステンレス鏡面素材のミラーだ。店舗入口側から見て左手に位置するミラーは、色鮮やかな商品を写し込むと共にドーム内の奥行きを錯覚させる。さらに、このショップをアートギャラリーのような雰囲気にするのが、ドーム内の壁には一切商品棚を設けず、無垢の生木のブロックの上に商品を置くという、自然界の力強さを取り込んだ展示方法だ。

　物販店ながら、ドーム、木の塊、ミラーしかないという極めてミニマルな構成は、水谷さんの生み出すインテリアを長年見てきた人にとっては、違和感のないものだろう。必要なものだけを残した、言わば"引き算"の考え方を志向するようになった

きっかけは、水谷さんが独立後、パリで多くの仕事をしていた1980年代に遡るという。パリ郊外に建つ教会を一人で見学した帰り道に、要素を積み重ねていく欧米のデザイン手法では彼らの様式の"もどき"にしかならず、自分らしい空間をつくるには要素を減らすべきだという気づきを得て、それ以来一貫して実践してきたものだ。しかし、要素を減らすと言っても機能を犠牲にするのではない。このイグアナアイで言えば、ミラーの裏にはフィッティングルーム、ドームの外側にはストックや従業員用トイレを配し、計算されたレイアウトとなっていることを見逃してはいけない。

また、この店舗に入った時に掻き立てられる、未知なるものへの好奇心と、やさしさに包まれたような不思議な感覚はどこからくるのかを考えていた時に、大きなヒントとなったのは、水谷さんが人の営みを大切にしているという話だった。「店舗の設計では、空間の持つメッセージ性が一番大切で、それをつくるのが僕らの仕事だと思う。この店であれば、履物の背景となるメッセージと空間のメッセージを繋ぎ、それらを一体のものとしてどう伝えられるかを考えていくのです。また、時として、ついモノづくりに執着してしまうことがあるが、本当に大切なのは、モノとモノの間に誰が入ってどう行動するか、そこにどんな営みがあるかが重要なんですよ」と。

街を歩く人々の興味を刺激し、脚を止めて入りたくなる感覚をつくること。店内に入る際にガラスドアの先にある、ドーム開口部のゲートを通り抜けて商品と出合うまでのシークエンス。これらのすべては、店舗を訪れた人がどう感じるか、どう

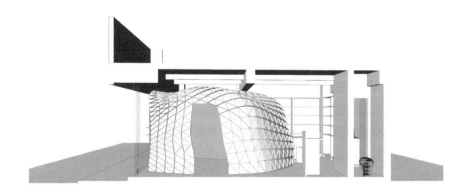

パース

すれば商品のメッセージが伝わるかを考えた上で形になったデザインなのだ。それまで、ブランドの目指す方向を人に伝えても理解を得ることが難しかったというファウンダーのタコさんが、開業後にこの店舗を訪れて、「砂漠で水を得たような気持ちだ」と歓喜したというが、両者のクリエイティビティーが共鳴することで生まれた、この二人でしか実現しなかった空間だ。

" 建築の中のもう一つの箱 " というコンセプト

　この店舗をユニークなものとして印象付ける、テナント区画内にドーム構造を挿入した " 入れ子 " のようなデザイン手法については、水谷さんが20代のころから継続して追い求めてきた、「建築からいかに自由になれるか」というテーマが根底にあ

一つひとつ異なる形状の三角形のアルミ製パーツを組み合わせたドーム。
ドーム内には無垢材のディスプレイテーブルが並ぶ

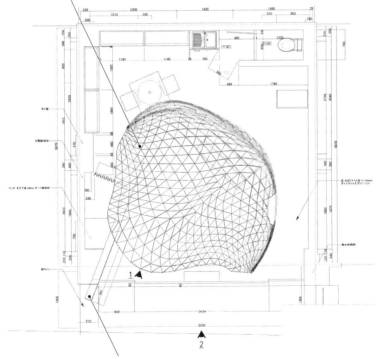

ガラスを貫通して、店内から屋外に突き出すデザインとしたミラー

平面図

2｜ガラス越しに見た外観。ガラスを貫通させた左手のミラー壁面には店内の様子が映り込む

る。インテリアの概念を打ち破りたいという思いから、建築の中にもう一つの箱を
置き、その要素を操作することで生まれた、「バー 雪」（1991年）や「雪月花」（1992
年）といった、プロのインテリアデザイナー達の間でいまだに話題となる名店はその
初期の代表例であり、その2014年時点でのアップデート版がイグアナアイだった。

　ドームの細部に目を向けると、約千枚の三角形のパーツをボルト留めしているこ
とがわかるが、ドーム部分の製作はメーカーズレボリューションの一員である金属
加工メーカーのヒラミヤが手掛けた。およそ千枚ある三角形のパーツは、レーザー
カッターで切り出した後、水谷さんが敬意を込めて「七人の侍」と呼ぶ熟練した七
人の職人が一枚一枚サイズと角度が異なるリブを手加工で曲げ、組み立てまでを
担当したという。接合部分をボルト留めしたのは施工性と、将来的な転用や移動
に配慮したからだ。青山店の退店時には、このアルミのドームは分割し、現在も
国内で保管中と言うので、“彼らの思想を未来へと引き継ぐ”ために設計されたデ
ザインが、新たな顧客とフットウェアを結びつける場として、再登場することに期待
したい。

25 beautiful people pop-up store unseen archives during the pandemic (2021年)

解体時から逆算して導かれた施工方法
── LGSを用いたインテリアと椅子

1│解体後の素材の使い道を考慮し、LGSを主素材として構築した期間限定店舗のインテリア。

　山本大介デザイン事務所/DAISUKE YAMAMOTOの山本大介さんは、サスティナブルな店舗のあり方に積極的に取り組むデザイナーの一人だ。そんな彼が、ファッションブランドのビューティフルピープルとの店づくりを手掛ける中で生まれた「すべての資源を廃棄せずに大切に扱う」というコンセプトを体現した店舗が、この「ビューティフルピープル ポップアップストア アンシーン アーカイブス デュアリング ザ パンデミック」（以下アーカイブストア）である。

素材をそのまま使うことで持続可能性を高める

　同店は、2021年に新型コロナウィルスの影響によって、百貨店が軒並み営業休止する中で、店頭に並ぶ機会をなくしたファッションを販売するために、2ヵ月だけの営業期間で計画された。アーカイブストアについて述べる前に、先駆けてオープンした2店の説明から始めたい。ビューティフルピープルの店舗設計のみならず、ブランディングの議論にもクリエイティブアドバイザーとして参加する山本さんは、あまりに短期間で繰り返されるスクラップ＆ビルドへ大きな疑問を持っていた。過去に、やりきれない気持ちで解体工事を観察してきた中で思い至ったのは、材料の持続可能性を高めるため、仕上げをせずに「素材を素材のまま使う」アイデアだった。

　2019年に開業した渋谷パルコ店では、解体後に分別がしやすいよう接着の工程をなくし、壁のLGS（軽量鉄骨）はビス留めし、いわゆる内装工事では当たり前のボード張りや塗装等の表面仕上げはせずに店舗を完成させた。さらに、"見立て"の考え方で、ディスプレイテーブルは石膏ボードを積み重ねて台とし、スツールは配線資材を適当な高さになるように置いただけ。こんなチャレンジングな設計が許容されたのは、パリコレで世界に向けて発信を続けるビューティフルピープルはいち早くファッションロスの問題に危機感を持ち、ブランドとして廃棄物の削減に取り組んできたことも大きかったという。その後の「ジェイアール名古屋タカシマヤ店」（2020年）では、開業時点で1〜2年以内に百貨店内で区画移動が決まっていたため、その考え方をさらに加速させ、キャスター上に積んだ買い物かごに断熱材のポリスチレンフォームを乗せてディスプレイテーブルとする等、可動する機能を取り込んだことで、さらにユニークな進化を見せた。

解体、廃棄時の状況から考えたシナリオ

　そして、このアーカイブストアは、さらに短期間の2ヵ月間という限られた営業期間のため、解体時から逆算して店舗のあるべき姿を探っていったという発想に驚かされる。テナント選びの段階で、居抜きで使える物件を選ぶことから計画は始まった。かつて物販店だった既存の壁等、そのまま使える部分を最大限に活用し、これまでのビューティフルピープルで活用してきたLGSを、床一面に敷き詰めることで独自の世界観をつくり出すことに成功している。また、アクリルボックスに入れたネオンサインは、ロープで簡易的に吊り下げることで、将来、他の場所で転用で

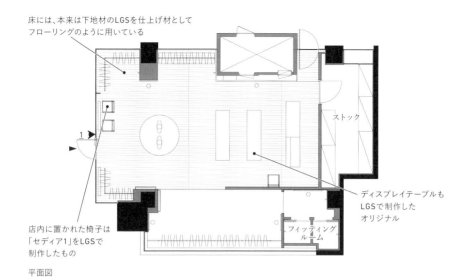

床には、本来は下地材のLGSを仕上げ材として
フローリングのように用いている

ストック

ディスプレイテーブルも
LGSで制作した
オリジナル

フィッティング
ルーム

店内に置かれた椅子は
「セディア1」をLGSで
制作したもの

平面図

きる仕様となった。そして、この店舗の中で、彼らのコンセプトを象徴的に伝えて
くれるのが、イタリアを代表するデザイナー、エンツォ・マーリさんが1970年代に
デザインした椅子「セディア1」の素材を LGS に置き換えて制作したモデルだ。この
椅子は、元々マーリさんが、家具デザインを誰もが自分の手でつくれたらよいので
は、というアイデアをまとめた書籍『autoprogettazione?』(1974年) で発表されたも
のだ。「マーリさんは DIY できる図面を公開したことで、家具は誰もが取り組める
課題だということを示したのだと思います。僕達が目指す、店舗デザインのサイクル
を持続可能にしていく取り組みは決して特別なことではなく、LGS に限らずものを
大切に使っていく考え方が広まってほしいという思いがあるので、時代は違います
が、彼らが世に問いかけたソーシャルプロジェクトの思想に大きく共感したのです」
と、セディア1に取り組んだ理由を語る。
　この椅子は、元々は板材と釘だけでつくる想定のため、LGS を板材のように扱い、
部材の切断面はコの字型のランナー材でカバーすることで、触った時に怪我をし
ないよう配慮されている。実際の製作は、設計時のプランどおり、解体現場で剥
がした床材を切断し、その場で組み立てたという。木工を得意とする大工に依頼
し、部材の勝ち負けを検討しながらミリ単位の調整を重ね、精度高く仕上げること
で、下地材のリユースとは思えないクオリティーとなった。この時に製作した椅子は、

ブランドのショールーム等で、資源を無駄にしないという強いメッセージを発しながら使われている。

最後までやり遂げることで伝えられる価値

アーカイブストア以降も、山本さんは LGS を用いたデザインをさらに探求し、2023年4月には、イタリアのミラノデザインウィーク2023で「"FLOW" -FUTURE LANDFILL-」と題し、オリジナルデザインの LGS 製アームチェアなど、これまでの成果を発表し大きな注目を集めた。通常であれば、解体後に廃棄物となる LGS に、デザインで新たな付加価値を与え、椅子として再利用するサイクル

2 | LGS でつくられた椅子「セディア1」。

を生み出した経験について、「今の時代に商業のデザインをするには、持続可能性の問題は避けられません。何かできることを探らなければ、という使命感のもと、僕にとってはアーカイブストアで壊すことを前提に設計したことが一つの転換点となりました。極めて小さなプロジェクトながら、最後まで自分達の手でやり遂げたことで、多くの人の共感を得られたように思います」と振り返る。

彼らは、5年後、10年後を想像しながら、その未来をより良くすること、今あるものを生かしながらデザインしていく行為を、"田植え"のようなものと捉えている点も、竣工時をピークとする店づくりとは対極的なスタンスで興味深い。進行中の別の案件では、そのブランドらしさを表現できるのであれば、テナント内のすべてを壊して一からつくるのではなく、今そこにあるものを生かし、違う使い方をすることでお店をつくれないだろうか、という議論を始めているところだという。2000年以降の世界を振り返ると、リーマンショック、天災、ウイルスの蔓延、戦争等、店舗開発には明らかにネガティブと思われる要因が度々訪れるが、どんな時にも、現状への"問いかけ"を起点に新しいデザインが生まれていく。そんな明るい兆しを再確認させてくれたプロジェクトだ。

3章

CAFE, WORKPLACE & MIXED-USE

カフェ、ワークプレイス&ミクストユース

1. 街との関係性を見つめる／2. 多様で自由な居場所をつくる

1章と2章では飲食やファッションという業種による分類を試みたが、この3章では、"街との関係、人の営み、働き方"をキーワードに、前半では生活の一部として顧客に愛されるカフェ等を5事例、後半では働き方の多様化に伴い、デザインの進化が著しいワークスペース等を4事例を紹介したい。カフェと言えば古来、人が集まりさまざまな文化が育まれてきた場であるが、2010年以降の日本においては、サードウェーブコーヒーの流行と相まってファッションストアとの複合店舗やコーヒースタンドが急増し、キッチンカーを利用した移動式店舗等と共に街角に賑わいをつくり出していったことが印象深い。運営やサービスに目を向けると、チェーン店が各地域にいき渡り、職場と自宅の中間的な場所として認知された一方で、小規模の独立系カフェでは、店主やスタッフとの関係性や顧客同士のゆるやかな繋がりが、コーヒーチェーンにない個性として再注目されていったように感じる。開業時期は異なるが、大阪・堀江で周辺に集う人々の層を変えた「ミュゼ 大阪」(1998年、p.130)や、東京・駒沢の「ブリティシングス」(2013年、p.135)における地元住民にとって暮らしの一部となるような店舗のあり方、そして街並みと調和する絶妙なデザインは同時代のカフェオーナーや設計者に大きな影響を与えた。

時によって店舗や展示会場等の機能を備える、デザイナーらによる自発的な活動「スクワット」

(p.149)は、当書の中では異色であるが、街の現状に対して発想されたという成り立ちから、この章に加えている。

また、純粋な店舗や商いの場ではないが、この十数年を振り返るとワークスペースの変化は、日本の空間デザインを語る上で外せない話題であるため3章に加えている。自社オフィスを顧客に"見せる"ことが業績に直結するクリエイティブ系の企業では、来訪者に驚きを与えるエンターテイメント性の高いスペースを持つ傾向が継続中のように見えるが、その一方で、組織としてのパフォーマンスを最大化したいという要望に応えた「電通デジタル 汐留PORT」(p.155)のように、シビアな使い勝手から導き出された、手間暇をかけたカスタムメイドのオフィスが誕生している。そして、パンデミックにより、仕事をする場がオフィスに限られなくなったこの数年は、オフィスを持つ意味が問われると共に人々が集う価値が見直されており、設計者側からすると、社会の要請から思考の枠を強制的に広げられた状況にあり、進化はとどまらず、引き続きデザイナーの職能が求められるカテゴリーだろう。

26 ミュゼ 大阪（1998年）
公園の緑豊かな環境と賑わいを取り込む
—— 街の風景となった、白い外壁と2層吹き抜けの大開口

　一軒の店が、街の雰囲気を変え、人の流れを変えた。大阪市西区、堀江公園前の角地に、「ミュゼ 大阪」がオープンしたのは1998年。建築を含むデザインを手掛けたのは、インフィクスを率いる間宮吉彦さんだ。

　古くから家具屋街として知られた堀江の街は、90年代始めごろにはすっかり活気を失っていたという。そんな折、堀江公園の向かいにある空き地に目をつけたのが、アメリカ村の生みの親と言われる、空間プロデューサーの日限萬里子さん。日限さんは、それまでにも間宮さんをデザイナーとして起用し、大阪ミナミのクラブ「QOO」（1991年）等を成功に導いてきた人物だ。

街が活性化するものをつくるという発想

　「QOO の開業から7、8年が経ち、クラブ等の夜の業態ではなく、昼間に気持ち良く過ごせる場所が求められているように僕らは感じ始めていました。そんな頃、当時堀江公園近くに住んでいた日限さんが、こんな場所にゆっくりお茶を飲めるところがあったらいいのに、というとても私的なアイデアから生まれたのがこのミュゼでした」と間宮さんは振り返る。

　当時空き地だったその敷地には、7階建てのテナントビルが計画されていたが、公園の目の前という最高に気持ちの良い場所には、堀江の街が活性化するものをつくるべきだ、という日限さんの提案に土地所有者が理解を示し、プロジェクトが動き始めたという。立ち上がった空間は、7階建てが建つ敷地に対して、わずか3層。広々とした吹き抜けのある1階カフェの上にはロフトのようなギャラリーがあり、最上階にはペントハウスが設けられた。「建物全体をミュージアムに見立てて設計を進めました。公園の一部と感じられるように、角のない、大きなアールの面で公園側の空気を受け止めようとしたり、カフェ店内では、鉄骨の梁を露出させたりと、装飾的につくるのとは正反対の考え方でデザインしました。すべてにおいて、色や形か

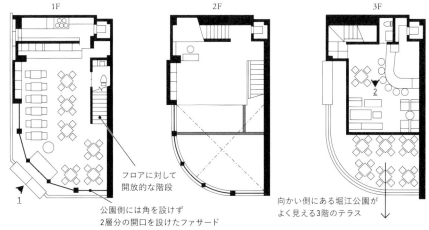

1F　　　　2F　　　　3F

フロアに対して
開放的な階段

公園側には角を設けず
2層分の開口を設けたファサード

向かい側にある堀江公園が
よく見える3階のテラス

平面図

ら決めていくのではなく、そこで何をするのか、どんな人が来て何が起こるかという、空間の使われ方から発想していったデザインです」と間宮さんは意図を語る。春先には公園の桜と呼応するように、店内に桜をディスプレイすることもあれば、扉を開け放って営業する季節の良い時期には、犬がカフェに入ってくることもあったと笑う。

　街にひらかれた心地よいカフェという機能だけではなく、ミュゼに行ってみたいと思わせたもう一つの理由は、3階のペントハウスにあるサロンの存在だ。「富裕層なら入れるというのではなく、経済の価値観とはちょっと違ったステイタスがないと入れない場所があってもよいだろうと考えていました。また、こうした店では、店頭に誰がいるかがとても大切なのですが、いつ行っても日限さんがいて、1階のカフェに若い子が来れば対応し、3階に芸能人やスポーツ選手らが来ても同じようにもてなしていました。日限萬里子像がミュゼをつくり上げていったのだと思います」。

気鋭のクリエイターが集まる場をプロデュース

　1階では、アブストラクトなアートが壁を飾り、2階ギャラリーへの階段は、手すり代わりに鉢植えを置いただけのオープンなつくり。ギャラリーのキュレーションもインフィクスが手掛け、後にアップルのプロダクトデザイナーとして活躍する西堀晋さんの個展を開く等、気鋭のクリエイターらが集まる拠点となっていた。そして、3階サロンでは天井面に一切照明を設けずに、落ち着いて語らえるインテリアがあり、

1｜人の流れを変えたカフェとして大阪人の記憶に刻まれる、交差点に対して円弧を描くファサード。

2 | 一歩屋外に出ればテラスから堀江公園を一望できる、3階のペントハウスに設けられたサロン。

「隠れ家的なサロンですが、テラスに出れば、街との一体感を感じられるようにしたかった」という屋外テラスが広がる。

　ミュゼ開業時は、SNSのない時代でありながら人が人を呼び、クリエイターの溜まり場としてすぐに知られる存在となる。すると、人気を聞きつけた東京の大手資本が南堀江に注目し始め、2000年以降は一週間に2店、3店とファションや美容系の店舗がオープンする活況の時代を迎える。また、ミュゼ室内の家具に、1階には黄瀬徳彦さん率いるトラック、3階には服部滋樹さんのグラフと、当時新進の地元クリエイターを起用したことも、その後の盛り上がりに一役買っていた。

周囲の環境をどう取り込んでいくか

　このカフェを特徴付ける街との関係について尋ねると、「それまでは、自分がデザインするものだけにフォーカスし、それがどう周辺に影響を与えていけるか、という考え方をしていましたが、ミュゼでは、周辺の良い環境をどう取り込んでいくか

が大切だと思いました。音楽やファッションに傾倒し、クラブ等を夢中でデザインしていた時期を経て、街や社会のことを考えながらのデザインを試みた、自分にとって転換期となった仕事でした」と語る。また、その背景には、ロンドンやサンフランシスコで感じた、街が再び活性化していくジェントリフィケーションの動きがあったという。「このエリアでは、行政や大企業が主導するのではなく、もう少し小さな規模で、民間や個人が主体となって衰退しつつある街を変えていけるのではないかと考えていました。また、当時の大阪には個性的な個人オーナーがたくさんいて、小さなおもしろい店舗が生まれていくバックグラウンドがあったのだと思います」と付け加える。

時代の気分を表現する

　その後、「阿倍野ハルカス」や「銀座東急プラザ」等、多くの商業施設の環境デザインを手掛けてきた間宮さんに、路面店と大型施設での考え方の違いを聞くと、「たとえ大きな商業施設の共用部であっても、実は街と同じ感覚で捉えています。ある部分のかっこよさを追求するというのは本質ではなく、テナントが入り環境に馴染みながら全体としてのメッセージが伝わるようにデザインしていく」という。一点ではなく集合体としての価値を高めていく、という方法論は、街が生き物のように変化し、成長していく様を当事者の一人として見てきたからこそ得られた感覚に違いない。

　間宮さんは、自身のデザインを"時代の気分を表現する"だけと語るが、リアルな時代を肌で感じ取り、人々が望む場を提供したことで、「学生時代に店長の髪型に憧れた」「デートはいつもミュゼ」等といまだに語られる、それぞれの記憶に刻まれた店となった。2017年にミュゼが休業した後も、堀江界隈が若いオーナーや20代の設計者の力で新陳代謝を繰り返していく様子を、うれしい気持ちで眺めているという間宮さんは、この堀江での経験を、「街に人が集まり、企業や資本が集まる街の転換期をつくった、まさにトリガーとなるプロジェクトがミュゼだったとあらためて感じる」と語ってくれた。

　人の行動を見つめ、空間の使い方を起点にしたインフィクスの設計手法に、オーナーの個性、そして、街に対する"思い入れ"という三つが重なりあうことで、およそ20年にわたって人々に愛されたカフェ「ミュゼ」に結実したのだろう。

27 プリティシングス (2014年)
現場でオーナーと共に考え、図面化していく
—— カウンター内から歩行者と会話のできる距離感

　駒沢公園通り沿いにあるカフェ、1997年開業の「バワリーキッチン」は東京のカフェカルチャーを牽引する存在としてあまりに有名だが、同じ通りの100m 程先に、空間プロデューサーであるオーナー・山本宇一さんとデザイナーであるKata(カタ)の形見一郎さんというバワリーキッチンと同じチームにより2014年に誕生したコーヒースタンドが「PRETTY THINGS (プリティシングス)」だ。

　理想のカフェというのは一緒に訪れる人や利用シーンによりそれぞれと思うが、筆者にとってちょっと一息つきたい時にわざわざ立ち寄ってしまうのは、外部への " 抜け " が圧倒的に心地良く、また、世に溢れる最新トレンドの店舗とは全く異なるアプローチながらプロフェッショナルの仕事を色濃く感じることのできるこの店舗だった。

　2020年には建て替え工事のために閉店し、現在はもとの立地から100m 程移動した通り沿いで、Kataの元スタッフだったデザイナー、間野由里衣さんの設計による2代目「プリティシングス」が営業中であり、そこでの山本さんへの取材をもとに当時のデザインの魅力を振り返ってみたい。

" 滲み出し " の感覚〜通りと店舗の程よい距離感

　10坪弱の店内に席数はわずか10程度、屋外席を入れても14、15席程であり、テーブルと椅子は伝統的な蕎麦店のように若干小さくて座面は低め。こう書くと悪条件のように思えるかもしれないが、このロケーションではこのサイズ感がなんだか心

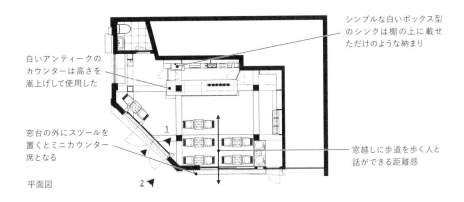

シンプルな白いボックス型のシンクは棚の上に載せただけのような納まり

白いアンティークのカウンターは高さを嵩上げして使用した

窓台の外にスツールを置くとミニカウンター席となる

窓越しに歩道を歩く人と話ができる距離感

平面図

1 | 海外のアンティークカウンターやタイルを合わせ、竣工当時から使い込んだ風合いのインテリア。

地良いのだ。

　店内のディテールに語るべきことは多々あるが、この店舗をオリジナルの存在た
らしめているのは、通りと店舗の程良い"近さ"だろう。窓際の席が心地良いだけ
でなく、窓台がそのまま屋外に突き出してミニカウンターとなり、外壁側にスツール
を置けばそこがテラスとなって街の人の溜まり場となる。コーヒーを入れるスタッフ
は、カウンター内に立ったとしても、通りを行き交う人との間は、わずか3、4m程度、
店内のお客さん越しに会話ができる距離感なのだ。

　「お店ってね、お客さんは必ずしも毎回来なくていいんですよ。そこにお店の人
がいつもいることが大事で、お客さんは来る時もあれば来ない時もある。でも、ちょっ
と寄ってもらうには、外に店舗が滲み出ていることが大切だと僕は思っているし、
形見くんもいつも"滲み出し"の感覚をすごく意識して設計していました」と、山本
さんはオープンなしつらえの意図を説明する。開業後には、いつの間にか通学路
として毎日店の前を通る小学生と友達になっていたという山本さんは「いつもトイレ
に寄っていく子がいたりして、それって最高ですよね」と笑う。そうした関係性を築
くことができるのは決して偶然ではなく、コーナーに面したエントランスは全開放、
通りに面した開口部は拡張し、大きく開くことのできる木製サッシを入れて内外で

2 | 窓外にも客席を置き、歩道への"滲み出し"を意図してデザインされたオープンな店構え。

会話がしやすいおおらかな空気をつくっているからだ。

対話しながら進めた店づくり

　三宿の伝説的なクラブ「ウェブ」（1994年）をプロデュースした時に初めてインテリアデザイナーとして形見さんを起用したという山本さんは、バワリーキッチン後も、原宿まい泉通りの「ロータス」（2000年）、表参道の「モントーク」（2002年）等、時代をつくる名店を形見さんと共に生み出していく。都心型店舗とは規模もキャラクターも異なるこのブリティシングスは、どんな思いで出店したのかを尋ねると「新丸ビルの飲食フロアのプロデュースを終えた時にプールを泳ぎ切ったような感覚がありました。メジャーな仕事を継続していく人もいると思うのですが、僕はその時にプールの端をタッチして戻ってくるのがいいなと思ったんですね。そこで、自分がカウンターに立つ店をつくりたくなった」と振り返る。テナントを契約して、設計依頼をしたら一刻も早く開業させたいのが一般的な飲食店オーナーの考え方だと思うが、百戦錬磨の山本さんはそこから現代の普請道楽のように1年以上掛けてユニークな店づくりを始めた。

　床のタイル一つとっても、アメリカで見つけたヴィンテージ品のため現物が届くま

で割り付けが決まらない。アンティークのカウンターは高さを補い、一方でバックカウンターは山本さんが腰掛けやすい高さにする等、「いつも現場で話をして、翌日形見くんが図面で大工さんに説明するということの繰り返しでした。二人のストーリーを混ぜながら考えていく作業だったので、最初の図面では表し切れなくて」という。「そうやってお店をつくっていくのがとにかく楽しかった」という山本さんの一言が、プリティシングスのすべてを言い得ているように思う。幾多の店舗をプロデュースしてきた山本さんが、形見さんと答え合わせをするかのように対話し、楽しみながら完成させた、達人二人の好きなものだけが詰まったコーヒー店なのだ。一番始めに山本さんが買ったという白い陶器製のシャンデリア、素朴なボックスシェイプのシンク等、既製品のカタログにはないもので構成することで、ここにしかないオリジナルの空気を纏う店となっている。

矛盾がないこと

　「僕らは良いお店の条件は矛盾がないことだと考えているので、デザインであれば、素材がツヤ消しか半ツヤか、グロスがいいのかといった細かいことまで気を使うんですが、彼のデザインはそこに矛盾がなかった」と山本さんは形見さんを高く評価する。設計中には、ここがこうなら当然そちらはこれ、といった長年の共通認識があるので、素材選びでは、あうんの呼吸でデザインが進むのが常だったという。また、「スチールとモルタルを使ったバワリーでも彼がやると柔らかい感触になるし、プリティではセラミックと木による温かい肌触りがありました。意匠そのものというよりも、それらがつくるムードが形見くんらしいと僕は思っているし、そこが他のデザイナーが決して真似できないところだと思います」と山本さん。形見さんとは直営店だけでなく、店舗プロデュースの際にも数多く協働してきた山本さんは、二人の連携を毎回、新機軸を求めながら作品を発表していくロックバンドのようだったと懐かしむ。

　現プリティシングスの開放的な店内には、かつてのカウンターが鎮座してゲストを迎えており、店内のあちらこちらにレコードや雑貨が置かれて、お客さんが店内を楽しそうに歩き回る。初代店舗と同じ光景が今もそこで繰り広げられているのだ。時代を読むプロデューサーの感性のもと、街の人と共にあることの価値を教えてくれた名店が、同じエリアで引き継がれた奇跡に感謝したい。

28 ダンデライオン・チョコレート ファクトリー & カフェ蔵前 (2016年)

経年変化した建物の力強さを残しながら地域にひらく
—— チョコレートづくりの工程を見渡すカウンター

カカオ豆からチョコレートバーになるまでを一貫して製造する、Bean to Bar をコンセプトに掲げ、2016年に開業した、米サンフランシスコ生まれのダンデライオン・チョコレートの日本1号店「ダンデライオン・チョコレート ファクトリー&カフェ蔵前」は、築50年以上の倉庫建築をリノベーションした店舗だ。その名のとおり、チョコレートの製造工場とカフェを複合した店舗の設計は、Puddle（パドル）と moyadesign（モヤデザイン）が共同で手掛けた。

この店舗の魅力となるポイントとして、次の三つが挙げられるように思う。チョコレートの製造工程を見せる演出、時を経た建物にしかない風合いを巧みに生かしたリノベーションデザイン、そして、街並みと調和した佇まいだ。パドルを率いる加藤匡毅さんとの対話から、そうしたデザインが生まれた背景を読み解いていきたい。

日本に最適化したレイアウト

蔵前駅から歩いて2、3分の静かな裏通りに面した店舗の向かいには、子どもの遊び場となる地域の公園がある。出店を検討する段階では都心部の新築ビルも候補に挙がっていたというが、ブランドイメージにそぐわないという判断から、現在の台東区・蔵前の倉庫に出店することになったという。

店内では、Bean to Bar という思想をダイレクトに表現するため、視界を遮る柱位置を整理し、よく見える中央にファクトリー機能が配置された。レイアウトで興味深いのは、本国でのあり方をそのまま持ってきたわけではなく、独自の解釈がなされていることだ。当時、サンフランシスコのバレンシアストリートにあった工場では、チョコレートづくりの全工程が見えるものの、カカオ豆は搬入しやすい奥に保管されていた。しかし、加藤さんらはカカオ豆をピッキングする様子は、スモールバッチで一貫してチョコレートをつくる価値が感じられる部分であり、丁寧にプレゼンテーションすべきだという理由から、ガラス張りの小部屋として最前面に配置。そこで手作業でピッキングした豆は、店内で焙煎され、その後、4台並んだメラン

上左・1｜入口前からカウンター越しにチョコレート工場エリアを見通す。左手はカカオ豆の貯蔵室。
下左・2｜改装にあたって壁と天井をすべて剥がしたスケルトン時の様子。
上右・3｜銅製の庇で周囲との調和を計った外観。左手は街の人に使ってほしいとデザインされたベンチ。

ジャーという機械で、およそ3日間、カカオ豆をきび砂糖と合わせながらすり潰し、寝かせた後に成形して店内でラッピングまでが行われる。

それらの工程を堪能できるように、1階には工場側を向いたカウンター席があり、さらに2階のテーブル席では、テーブル天板の中央に大きなガラスをはめ込むことで、水族館の水槽内を見るかのようにガラス越しに下階のチョコレートづくりを眺められるのだ。効率良く客席を配置しながら、それぞれにキャラクターのある客席は、何度行っても違う楽しみを与えてくれる。

古い倉庫の風合いを生かす丁寧なアプローチ

この店舗らしさをつくっている大きな特徴の一つ、既存部の生かし方については、「経年変化した部分の美しさと力強さを、丁寧に解体、補強しながら視覚化する」

というコンセプトをもとに、全く触らない部分と、徹底的に整える部分の差をはっきり見せようと、共に幾度かリノベーション物件を手掛けた信頼のおける施工者と解体中の現場を都度、確認しながら、図面では表せないような臨機応変の微調整をしていったという。

そんなプロセスで生まれた、既存の鉄骨間のすき間に納めたスポットライトや、かつて壁だった部分をスケルトンにした間柱を階段の落下防止柵として活用するといったデザインは、古民家で大梁を見せつけるような改修とは真逆の、言わば、脇役的な要素をピックアップし、そこに新たな使い道を馴染ませていくようなアプローチだ。

他にも筆者が気に入っている2階壁際のベンチ席は、座面として幅30cm 程のレッドシダーの板材をただ渡しただけで、背もたれも同じく無垢の板材。家具というには相当に素っ気ないが、チョコレート工場のベンチと考えれば必要十分の役目を果たすものだ。また、1階天井に吊られた既存の照明器具は、これ以上ない程部品を取り除くことで、赤い鉄骨が露出した天井まわりにフィットする無機質な機能美を醸し出している。「古い建物には、過去の設計者や使ってきた人達と、建物を通じた対話があるから物語が豊かになる」と語る加藤さん。「すでにある価値を再発見する」ことを設計事務所のテーマに掲げて活動する加藤さん独自のものの見方が、この古びた倉庫に新しい命を与えたのは間違いない。

街に対するちょっとしたプレゼント

また、店内のしつらえのみならず、自己主張を抑えながら街に対してひらいた店舗のあり方も、この店舗がローカルに愛されるポイントだろう。かつては全面にシャッターがあったファサードは、店内が見えるようできる限り解放し、公園の出入口と正対するエントランスは、わずかにセットバックさせることで出入りの安全性を確保して軒下空間を設けた。また、正面から見て左手には、誰でも座ることのできるベンチが壁から持ち出す形で設けられている。加藤さんは、「街へのちょっとしたプレゼントと言うとおこがましいですが、散歩に来るこのエリアの人達が公園を眺めながら一休みしてもらえたら」とその意図を説明する。

過去に設計したコーヒー店の軒先では、ベンチを置いたことがあったが、家具を置くよりも建築側で設えたほうが、よりメッセージが伝わると考え、その後、いくつかの事例では建築の一部にベンチ機能を与えてきたという、その道の手練れで

ある加藤さんらしいアイデアだ。また、街並みとの親和性から、隣接するビルの軒と高さを揃えた銅製の庇は、今では経年変化した素材感もあいまって、風景に溶け込んでいる。

この店舗について、自身で気に入っているところを尋ねると、「常々、空間を一つのものにしたいという思いがあるので、増改築で繋がれた不揃いな床の高さを丁寧に揃え、店内の活気や音が流れていくような一つの大空間にできたこと」だという。店舗で働くスタッフとお客さんが一つの場をシェアしている感覚は、完成後に訪れた人には気づき得ない、そんな地道な設計から生またのかもしれない。

「僕が現地で Bean to Bar の考え方に感動したように、創業者達が時間を掛けて育んできたカルチャーを伝えたかった」という言葉のとおり、彼ら設計チームがオリジナルを蔵前の地に合わせて丁寧に翻訳したデザインは、サンフランシスコのガレージで創業したファウンダーの思想を伝え、国内のファン達との交流を育んでいる。この蔵前の仕事の後、日本国内の展開に加え、米ラスベガスの店舗等も手掛けていた加藤さんは、米国の Dandelion Chocolate, Inc. の空間デザインのディレクターに就任したというので、海を越えたエリアで、街の息吹や人々の営みから発想する新たなデザインに期待したい。

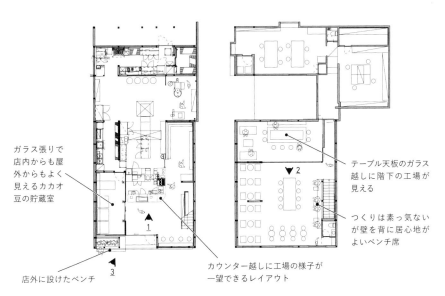

ガラス張りで店内からも屋外からもよく見えるカカオ豆の貯蔵室

テーブル天板のガラス越しに階下の工場が見える

つくりは素っ気ないが壁を背に居心地がよいベンチ席

店外に設けたベンチ

カウンター越しに工場の様子が一望できるレイアウト

1階平面図／2階平面図

29 メルセデス・ベンツ コネクション （2011年）

通りに対して興味を引く仕掛けを折り重ねる
── 街ゆく人を引き込むカフェエリア

　2000年以降の東京都心部の変化について振り返ると、「六本木ヒルズ」（2003年）、「東京ミッドタウン」（2007年）という、六本木エリアを一変させる大型開発のインパクトが極めて大きなものだった。その結果、ラグジュアリーホテルが誕生し、ビジネスパーソンが集う街としての性格を六本木は強めていくが、そんな変化を続ける界隈で、店舗の存在感、街との距離感があまりに斬新で、開業後のファッションブランドとのコラボレーション等といった使われ方の面でも大きく印象に残るのが、2011年に開業した「メルセデス・ベンツ コネクション」だ。

　この施設は同社のコンセプト・スペースと位置付けられ、自動車ショールームではなく「ブランドの世界観を伝える」という使命のもと、1年半と営業期間を定めて計画された。建築の基本設計とインテリアデザインは窪田建築都市研究所（2023年に Degins JP／デジンズ ジェービーに改称）の窪田茂さんが手掛けている。このスペースは人の集まる拠点として広く認知され、営業期間を終えた後は、乃木坂寄りの立地に同じ設計チームの手で移転オープンし、2017年にはグローバルコンセプトに沿う形で改称したが、現在も営業中である。東京以外では、その後大阪にも展開しているが、ここではオリジナルである1号店について、その特殊なキャラクターを振り返ってみたい。

1│柱側面を面発光させたファサード。店内スクリーンと照明効果によって外部へとアピールするデザイン。

興味を創造する仕掛け

　ディーラーやショールームではなく、ブランドの世界観を伝える空間をつくるにあたり、窪田さんが掲げたテーマは「興味を創造する」ことだった。「この施設は人が来るのを待つのではなく、人が集まる場所に出ていこうというメルセデスの新しい考え方に基づいています。そして、当時は高級車としての知名度はとても高いけれど年齢層の高い人向けの車というイメージが浸透していたので、より若い世代の興味を喚起するために、単純に車を美しく見せるのではなく、車に乗って体験できることを店内に表現できないかと考えました」と語る。車で体験できることって何だろうか、というところまで遡り、都市の風景、海や山へのドライブ、サファリへの旅、等のイメージを一つひとつ抽出していったという。そして、街を行き交う人の興味を惹く仕掛けとしてデザインされたのが、映像を映し出すムービーウォールであり、

ランダムに立ち並ぶ光り柱だった。映像は、先に挙げたキーワードをもとに、ビジュアルデザインスタジオのワウに依頼し、全長30mに及ぶスクリーンを生かした約1分間のムービーが複数パターン、ランダムに流された。そして、映像とリンクする光の演出を見せるのが、一つひとつ異なる形状で斜め方向に走る柱だ。初期のアイデアでは、柱まわりにも映像を映す手法も模索したというが、最終的には二方向にLEDを内蔵し、個別に制御できる導光板が採用された。

　この面発光する柱と映像の日没後の存在感は、歩行者に対しても、車道を車で通り過ぎる人にとっても半端ないものだった。ファサードでは、外壁面だけ素っ気ない黒いファサードとしているが、異形のガラス越しに見える柱の側面が上から下まで面発光することで、設計者の狙いどおり強烈に人々の注意を引き寄せる。

　最も人通りの多い交差点側にカフェのエントランスと2階テラスを配し、パーティー時には鮮やかな原色の光を放つことで、目抜き通りに突然クラブが出現したような様相となる。そして、その光柱の奥に見える、2面にわたる巨大なムービーウォールの空間と連動した疾走感のある映像は、光沢のある天井と床、車への映り込みによって増幅し、今夜はここで何が起こっているの？と通行人の脚を止めるのだ。

街とのインターフェース

　ここまで述べてきたデザインの個性と共に、この施設の性格を決定づけるのが、心地良いカフェとレストランの存在だ。1階のエリアはWi-Fiと電源のあるビッグテーブルが快適で、仕事でもプライベートでも使えるカフェとして記憶している人も多いのではないだろうか。「街とショールームが分け隔てなく繋がるようにしたかったので、カフェが街とのインターフェースとなるようできるだけオープンで気軽に入りやすい雰囲気にしています」と窪田さんはカフェの位置付けを説明する。

　メルセデスのプロジェクト以降も、三菱電機やサムソン等、企業のためのスペースの設計を多く手掛ける窪田さんに、いわゆる飲食店としてのカフェと、企業と顧客のコミュニケーションのためスペースをデザインする時に違いがあるかを尋ねると、「特別に区別して考えることはありません。企業ビルやショールーム内のカフェであれば、カフェに入ったお客さんはそこで時間を使ってくれます。その時間の中で、どうブランドや企業のアピールができるかを考えていく」、とあくまで求められる用途や意味に応じて、個別にデザインするスタンスだと語る。

かつて、窪田さんへの取材で、カフェはつくり込み過ぎないようにしていると聞いたことがあるが、過剰なデザインを避けながらも、窪田さんが手掛けたカフェには、オーナーの趣味や土地柄がふんわりと香る色気が込められているように感じる。色気といっても、バー等夜の業態にあるゴージャスさやセクシーさではなく、何か、その店舗への愛着が湧くような、かわいい柄の家具の張り地であったり、手書きのペイントや DIY のアートワークが醸し出す類いのものだ。

　そうした飲食空間の硬軟に応じて魅力を生み出す彼らのデザインボキャブラリーは、チェックリストを満たしていく設計手法ではなく、どのようなカフェか、情報発信が目的なのか秘密基地のようにしたいのか、といった業態コンセプトやオペレー

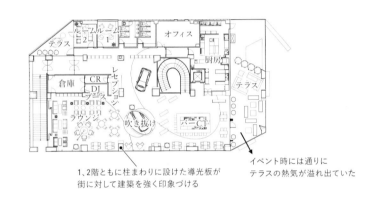

1、2階ともに柱まわりに設けた導光板が
街に対して建築を強く印象づける

イベント時には通りに
テラスの熱気が溢れ出ていた

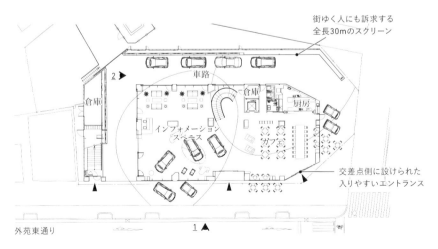

街ゆく人にも訴求する
全長30mのスクリーン

交差点側に設けられた
入りやすいエントランス

上｜2階平面図　下｜1階平面図

2│カフェの奥に位置する車路の大型スクリーンには、ワウによる疾走感ある映像が流された。

ションにまで立ち返り、企画者に近い立ち位置でゼロから発想してきた経験の積み重ねによるのだろう。

　窪田さんによる前例のないカフェの仕事では、新時代のブックカフェとして話題となった「ツタヤトウキョウロッポンギ」(2003年)が、初めて筆者がインタビューに訪ねた事例でもありとても印象深い。「あの時は、オーナーやプロデューサー達の議論が盛り上がり、さまざまな変更を経て修正を繰り返し、最終的なプランはなんと55案目でした」と明かす。苦労はあったが、ワクワクしながら世にないものを設計した経験は特別なものであり、そうした感覚はメルセデス・ベンツ コネクションの1号店でも同様だったと振り返る。そんな高揚感をもって、これまでの自動車ショールームにはないカフェやレストラン、イベントスペースの機能を複合し、空間形態に完璧にフィットさせた映像と照明を触媒として、相互が共鳴し合う状態を目指してデザインを統括したことがこのスペースの成功した要因だろう。お茶を飲みに来たつもりが、つい、車のボディに映り込む映像を惚れ惚れと見てしまうような体験は、車、映像、カフェのシームレスな繋がりがあればこそ生まれるのだ。ここで体感した"新しさ"は、ブランド価値を街のリアルな場から発信する手法として一つの時代をつくっていく。

30 スクワット（2020年〜）

最小の手数で、空き家に価値をインストールする
—— インディペンデントな実験的スペース

1｜南青山の商業ビルの地下で開催された「スクワット／ノットイナフ」の仮設材を活かした空間。（撮影：中村圭佑）

「予定調和でないこと」「必要最小限の手数」「強度」。パンデミック直前の東京で始まったプロジェクトで、これらのキーワードからどんなものが連想されるだろうか。ここに「占拠」と加えたら、もう皆さんおわかりだろうか。これらは、すべて発案者であるダイケイミルズの中村圭佑さんによる言葉の断片であるが、彼らが2019年に東京・原宿の片隅で始めた、東京の空き物件を占拠するかのように新たな価値をインストールしていく活動「SKWAT（スクワット）」を紹介したい。

青い家から始まったインディペンデントな "活動"

　スクワットは、オリンピック後には都心部に空き家や空きスペースが増える状況を見据え、そうした場所に必要最低限の手を加えて空間をつくり、それを一般の人に開放しながら前進していこうと自発的に始めた、コンセプト・ドリブンな活動だ。発想のきっかけを尋ねると、「ダイケイミルズを設立してから約10年が経ち、今後、どう進化すべきかを考える中で、もっとピュアな表現を届ける方法がないだろうかと模索していました。大きな商業施設等の予定調和的なものが増えていく東京の中で、それらに対するカウンターとして、クライアントワークではなく、自分達でインディペンデントな空間をまずつくってしまい、そこに共感、賛同してくれる方と何か生み出していけるのでは、と考えたのです」と中村さんは振り返る。

　スクワットとは、中村さんがかつて過ごしたロンドンで体験した、放棄された土地や住居を占拠する行為「Squatting」からインスピレーションを得て名付けられたもので、店名ではなく、彼らの思想を伝えていく活動を指す呼び名だ。第一弾となる「スクワット／トゥエルブブックス」の舞台となったのは、「ユナイテッドアローズ原宿本店」のすぐ近くにある、かつてはクリーニング店だったという一軒家で、外装を真っ青に変え、過去にオルタナティブスペース「ヴァカント」を中村さんと一緒に運営していた同志である濱中敦史さん率いるアートブック専門のディストリビューター、トゥエルブブックスの店舗として2019年12月に営業を開始した。街中で真っ青という、ある種、異様な存在感が話題となり、2020年の春先には、移転に伴う閉店直前の「シボネ」をジャックするような形で鮮やかなグリーンをテーマカラーにした「スクワット／シヤチル イン シボネ」を期間限定でスタートし、同時期には第一弾の一軒家に手を加え、テキスタイルメーカーのクヴァドラとコラボレーションした、廃盤となったテキスタイルを販売するというサスティナブルなコンセプトの「スクワット／ クヴァドラ」もオープン。都市のすき間を逆手にとるような仕掛けがメディアからも注目を

集め、中村さんらが全く想像していなかったスピードでの社会への浸透が始まる。

青山の一等地での進化

　始動からわずか数ヵ月の間に、願ってもないディベロッパーからの誘いがあり、青山の一等地にある商業ビルにて「スクワット／トゥエルブブックス」の第二弾を2020年5月にオープン。そこでは、躯体に赤いラインが残っていたことから、テーマカラーを鮮やかな赤として、テナントが退去した状態に、なるべく手を加えず、階段の手摺り等必要最低限の機能を整えて、街の人にひらかれたライブラリーとブックストアを構築した。初めてスクワットについて取材したのはこの時期であり、当時の中村さんからは街の人が訪れてくれることへの手応えを聞くことができた。

　その後、同じビルの1階と地下にスペースを拡張するタイミングで、フランスのファッションブランド「ルメール」とコラボレーションし、同ブランドの日本1号店がオープン。デザインを担当した。ルメールの開業に際しては、同ブランドの PR 等を手掛けるエドストローム・オフィスのエドストローム淑子さんとの縁があったという。「スクワット開始時から活動に興味を持っていただき、何か一緒にできたらというお話をもらっていました。青山で拡張するタイミングでエドストロームさんに声を掛けたところ、本国のデザイナーらも実験的なコンセプトに大いに共感してくれて出店が実現したのです」。ルメール側からは、日本でやるからには伝統的な建築やクラフトマンシップの要素を取り入れたいという要望があり、別案件で偶然あった解体現場の柱と梁を再利用したデザインが生まれる。これは、将来の移転にも対応する、組み立てと解体が容易なものであり、一部には透明なアクリル板を用いる等、古民家的な設えとは一線を画し、ルメールの世界観のニュアンスを細部からも伝える店舗となった。

強い問題意識から生まれたプロジェクトの意味

　パークと名付けた、地下の約230㎡ある広大なスペースの生かし方にもスクワットらしさがよく現れている。彼らが長年、ヴァカントという貸しスペースを運営してきた経験から、「パークは営利目的ではなく、自分達が何か発信したい時だけ使うことに振り切った」と言うのだ。かつて訪れた時の展示はカナダ建築センター（CCA）と連携した「スクワット／ノットイナフ」（2022年）。通常、展覧会のアートブックは、

2｜南青山のスクワット内にオープンした「ルメール」の1号店。梁や柱などの古材を再利用している。（撮影:志摩大輔）

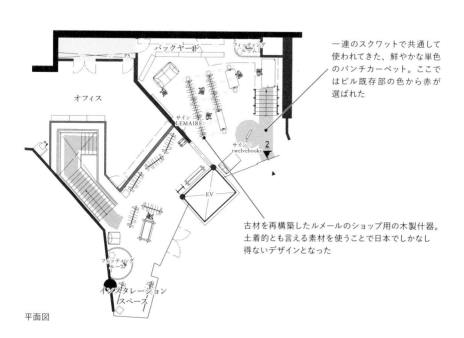

一連のスクワットで共通して使われてきた、鮮やかな単色のパンチカーペット。ここではビル既存部の色から赤が選ばれた

古材を再構築したルメールのショップ用の木製什器。土着的とも言える素材を使うことで日本でしかなし得ないデザインとなった

平面図

3｜亀有の高架下で、2024年夏に向けて段階的にオープン予定という「スクワット アートセンター」。（撮影：中村圭佑）

家で作品を見返したいから買うものだと思うが、ここでは CCA の問題意識を書籍化した『The Museum Is Not Enough No. 1-9』のコンセプトが抄訳と共に空間内に散りばめられており、アート作品ではなく、思想の断片とここに満ちている空気感を持って帰りたいと思わせるものとなっていた。難解な書籍ながら、モニターの映像と紙に刷ったハンドアウトを用いて、思想をポップな色の表現に置き換えたことで来場者の興味を惹く見せ方はとても印象深い。パークではその後、世界的家具メーカーのヴィトラとスクワットが共に運営する、ジャン・プルーヴェの家具を体験する期間限定のパブリックスペース「P」を開催、連日100人以上を集客したという。

他にも、ミラノでの「TTT/ミラノ」（2022年）、ミラノデザインウィークドロップシティでの「リパブリック バイ スクワット ウィズ ディー・ブレーン」（2023年）など、世界へも活動の場を広げていく。

ここまでの拡散から改めて感じるのは、デザイナーが自分から仕掛けることの大切さだ。日本のインテリアデザインを牽引した内田繁さんはかつて、場をつくり自ら発信してくことの大切さを繰り返し語り、また、後進へもそれを強く求めることで、人を育てる様を見せてくれた。また、20代の頃に見た片山正通さんによる、アートと狂気を引き出し内に封じ込めた自主制作のシェルフは、筆者自身の中で、いつの間にか型に嵌めていた“デザイン”という枠をぶち壊したものとして忘れられない。そして、2019年の社会状況を受けて始まったこの「スクワット」。彼らは現在、青山から亀有に拠点を移し、なんと数千㎡におよぶ高架下スペースを、スクワットの思想に理解を示した JR 東日本都市開発から借り受け、そこにアートセンター機能を核とする施設を段階的にオープンさせようとしている。この地に思い描く、新たなスクワットの姿を中村さんは、「美術館でもギャラリーでもない、ストリートとアカデミックの間をつなぐアーティスト・ラン・スペースとして、地域の人が気軽に訪れられる広場のようなコミュニティをつくりたい」と語る。

このような動きが、オリンピックに振り回され、さらにパンデミックにより閉塞感が漂っていた東京の中で輝きを放ったのは、決して偶然の産物ではなく、強い問題意識を燃料として、怯まずアクセルを踏み込む勇気があったからだ。映像や文章とは異なる、空間デザインを介したメッセージの伝播性、フィジカルなものごとの価値を思い知らされた、現在進行形のプロジェクトである。こんな表現者がいるから、想像もしなかった新たなスペースが生まれる。これだから東京から目が離せない。

31 電通デジタル 汐留 PORT (2022年)
空間の秩序をコントロールする
—— 都市計画的に導かれた分散配置のレイアウト

この20年の商空間を振り返るにあたり、外せないトピックの一つはワークプレイスの進化である。オフィスは純粋な商業のための空間ではないが、働き方の多様化にともない、オフィス専業の設計者だけでなく、飲食店や商業施設の設計に経験の豊富なデザイナーの発想が求められるようになっていったのはごく自然なことと思える。

ここでは、先ごろ現地を案内してもらう機会があり、広大なスペース内に設けられた仕掛けと、その根底にある考え方に心躍った「電通デジタル」のデザインを紹介したい。設計を手掛けたのは、sinato（シナト）を率いる大野力さんだ。大野さんは近年、駅や大型商業施設等の大規模物件を手掛けることも多く、挨拶がわりについ「今度は何万㎡ですか？」と聞いてしまう程、大小の建築、インテリアを境界なく手掛ける建築家だ。

実際の利用シーンから導かれた "使える" 仕掛け

国内最大規模の総合デジタルファームである電通デジタルは、汐留の電通本社ビル内の4フロアに位置しており、そのうち7階の来客エリアと8階の執務エリアのリニューアルをシナトが手掛け、2022年2月にオープンした。

どちらのフロアにも特徴的なデザインがあるが、まずは「チームホーム」、「ハックルーム」と名付けられたこの企業固有のスペースを設けた8階の執務エリアから紹介したい。これは、オフィス開発のキーパーソンとなる、電通デジタル総務部の飯野将志さん率いるプロジェクトチームが社内へのリサーチから導き出した要件だったという。

「基本的に社員の方はフリーアドレスなのでどこで働いてもよいのですが、チームの仲間に遭遇する可能性が高い "部室" のような場所がチームホームで、利用できるメンバーが決まっています」と大野さん。計15ものチームホームが求められたため、二つ、または三つを集約したチームホームビレッジとしてフロア全体に分散配置し、各ビレッジに共用の個室を設けてパッケージ化。周辺を歩く人からは中が見え、中に座れば周りが気にならないような高さの腰壁で円形に囲うような設えと

1 | 来客に対応する7階。領域をつくるスクリーンにはブランドカラーの青を採用している。

なった。ハックルームというのは、所属するチームとは別にプロジェクト単位で一定期間占有できる場所で、各ビレッジ間の空地に配置されている。一方、来客フロアの7階では、22の会議室が求められた。「この階では、会議室と廊下という二項対立的な空間とせず、社内外の人達の振る舞いが混じり合う状況を良しとしているのです」と語る。

根底にある都市計画的な思考

両フロアに共通するのは、分散配置のレイアウトと、根底にある都市計画的な考え方だ。

7階の来客フロアでは、建築の特徴的な外壁形状を踏襲したガラスやルーバー状のパーテションが入れ子状に配置され、建築と一体となったシンボリックで大きな風景と、分節感のある様々な居場所が共存している。それぞれの居場所は周囲に立つ壁の量や透明度によってスケールや見え隠れが異なり、多様なコミュニケーションを混ぜながらシームレスに連続する環境を生み出した。また会議室周辺では通路との境界のあり方がユニークだ。会議室内の天井が通路側に庇のように張

2｜執務スペースとして計画された8階。右手はチームの拠点として使われる円形のチームホーム。

り出し、その下が作業スペースになっていたり、会議後にちょっとした立ち話のできるハイカウンターがあったりと "使える" 仕掛けが随所に設けられている。

　8階においては、「道づくり」と大野さんは語るが、7階同様に建築形状から抽出したブーメラン型の動線を3箇所に、さらに必要な補助線を足すように通路が配されており、「都市では交通量の多いところ程地価が高く、商業集積等ができて賑わいが生まれるように、トラフィックの多い交差点にチームホームを配置し、偶発的な出会いを含む遭遇可能性を高めていく提案をしました。道をつくり街区を分け、地図を描くような感覚で考えています」という大野さんの言葉どおり、多様な動きを誘発するデザインがなされている。用途に応じたフレキシビリティは、可動するホワイトボードや什器により確保されているが、飯野さんからのさらに可動性を高めてはどうか、という意見に対しては、「場への愛着をつくるには、ある程度風景の強度がなければいけない」（大野さん）という理由により、可動性よりも全体の秩序を優先する等、表面の見栄えよりも深い部分でユーザーと意見交換を重ねた結果がレイアウトに結実しており、そのプロセスには施主との信頼関係がうかがえる。

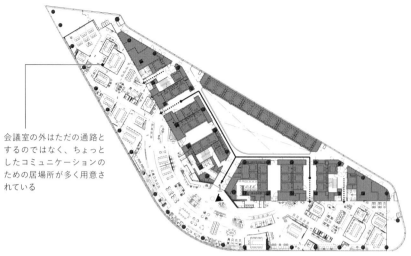

会議室の外はただの通路と
するのではなく、ちょっと
したコミュニケーションの
ための居場所が多く用意さ
れている

7階平面図

大規模オフィスに対するシナトのアプローチ

　また、現場見学に先立って、大野さんによるファーストプレゼンの資料を見せて
もらって知ったのは、7階、8階共にインテリアの骨格はその時点から変わっていな
かった事実だ。建築家の同業者が驚くような精度の高い提案を常に初回からする
のは、席数や機能面をしっかりおさえながらプロジェクトの良し悪しを測るものさし
を明確に提示することで、色や形に捕らわれずに本質的なコミュニケーションがで
きるからだという。また、彼らのプレゼテーションの特徴に、ロジックを図示した
ダイアグラムと、かわいらしい四頭身の利用者を描いた漫画タッチのスケッチの組
み合わせがある。ゾーニング等の考え方をきっちり色分けし、矢印や点線を駆使し
た図で説明しながら、各部で起こるユーザーの振る舞いをスケッチで懇切丁寧に
図示していくのだ。ただ美しいCGではなく、設計の意図、そして解決すべき課
題をはっきりと伝えるこのスケッチがあることが、依頼者との意思疎通を容易にし
ているのだろう。

　過去には、約2万㎡の「アマゾン ジャパン」(2018年)等、ワーカーが2000人を超
えるオフィスの実績がある大野さんに、設計のコツや心構えのようなものがあるか
を尋ねてみた。「大規模なワークプレイスは、公共施設のような不特定多数でも、
住宅のような特定少数でもなく、"特定多数のコモン"であるという点を理解しな

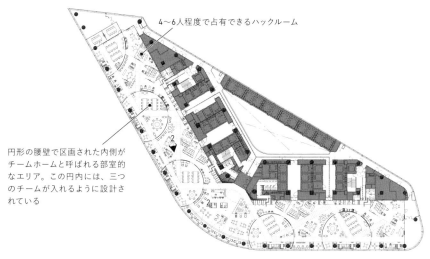

4～6人程度で占有できるハックルーム

円形の腰壁で区画された内側が
チームホームと呼ばれる部室的
なエリア。この円内には、三つ
のチームが入れるように設計さ
れている

8階平面図

ければいけません。一定の文脈が共用されている一方で、多くの利害関係も発生
するので、家具やインテリアの装飾だけでは空間の秩序をコントロールしきれない。
そこで、都市計画的な考え方が必要になる」とのこと。そうした大きな視座に加え、
もう一つポイントとなるのは、様々な居方をつくる配慮だという。「ABW（Activity
Based Working）の概念では、仕事をする舞台は街中のカフェや公園でも自宅でも
いい。それらとの比較の中で、ユーザーに能動的に選ばれるには、作業に応じた
設えで細かな差異をつくる必要があります。視線の行方や家具の高さを緻密に設
計することで、利用者は場に応じて様々な使い方をするし、そうした振る舞いの総
体が同時多発的に空間に表示されることが風景の魅力となる」と、これまでのオフィ
ス設計で重視してきたアプローチを語ってくれた。

　客席にレベル差のあるレストラン、極端に見通しの悪いファッションストア等、プ
ロジェクトに応じた特殊解を導いてきたシナトの経験値が、生産性にフォーカスし
ながら、多様な場を必要とする、現代のオフィスづくりに生かされているのだ。先
に述べた可動性のように設計時に議論が白熱した部分も、竣工後に使ってみて納
得したと飯野さんが振り返るように、議論を経なければ導けないデザインが求めら
れる側面では、シナトの聞き取る力が真価を発揮し、ワーカーが生き生きと過ごす
風景が生みだされるのだ。

32 武蔵野美術大学 ゼロスペース (2018年)

ユーザーの行動観察から導いていく
―― 石ころをモチーフにしたベンチ

1 | 改装前にメイン動線だった中央部には石ころ状のベンチを配し、周囲を回遊する計画とした。

　武蔵野美術大学の9号館1階にある、学生のための休憩スペース「ZERO SPACE（ゼロスペース）」（2018年）を初めて訪れた際に、そこでくつろいだり談笑したりしている学生達の姿に、なんと自然な使われ方をする場があるのだろうと感激した。ユーザーを中心に開発していくヒューマンセンタードデザインでは、歯ブラシの開発ストーリー等、プロダクト分野での名作が話題になることが多いが、空間におけるヒューマンセンタードデザインの代表例として、このゼロスペースを、コンセプトを紐解きながらここに紹介したい。デザインを手掛けたのは、同大学の空間演出デザイン学科教授として教鞭を執る五十嵐久枝さん（イガラシデザインスタジオ）だ。

2 | 石ころベンチの高さは3種類あり、複数を積み重ねての使用も想定してデザインされている。

歩くスピードを緩めたい、からの発想

　学生のための休憩スペースとして設けられた「ゼロスペース」の構成要素は極めてシンプルであり、訪れた人がまず目を奪われるのは石ころのようなベンチなのは間違いない。しかし、ここではベンチの成り立ちを理解してもらうために、まず、ゾーニングやフロア環境から説明していきたい。

　元々、ゼロスペースが計画された場所には、学生向けの進路情報スペースがあり、東西南北の入口を繋ぐ通路が十字形に走っていた。この区画を有効活用しようと学内にプロジェクトチームが結成され、当初は客席を設けた多目的スペースにする計画もあったというが、最終的には休憩の場をつくる方針となり、休めることとグループワークができることが、機能上求められた要件だった。

　改装前に、学生の動きを丹念に観察していた五十嵐さんは、フロアを貫通する通路を通り抜ける人があまりに慌ただしく、人が歩くスピードをゆっくりできないかと考えたという。「硬い靴底で走る人の足音も気になりましたし、この動線のままで

はとても休息できる場所にはならないと考え、中央に人の居場所をつくり、通り抜ける人は中央を迂回するプランを考えていきました」。そこで思いついた一つのアイデアがこの空間のすべてを規定していくことになる。「慌ただしく通過していく人の動きを見ていて、川の流れのようだと思いました。そこで、流れの早い川の中で、小石の影で魚達が身を潜めている情景が浮かんだのです」と五十嵐さんは当時のひらめきを振り返る。

完璧に機能を満たす "石ころ" ベンチ

　そこから、石ころをモチーフにしたベンチを中央に設け、水の流れが中央を迂回していくように動線を楕円形にしたゾーニングが生まれた。さらに、その空間に合わせてオリジナルのベンチを開発することになるが、ディテールにはこれまでに家具デザインを数多く手掛けてきた五十嵐さんの経験値が存分に生かされている。

　石ころの形を決めるにあたっては、実際に河原で理想的な石ころを探し出してトレースする等、ナチュラルな形を意図しながらも、高さや断面形状は完璧にコントロールされた。カラーはすべてグレー系ながらピンクやグリーンを混ぜた深みあるバリエーションで、形状は大小12パターンがあり、一番低い300mmのベンチは、小柄な女性が膝上でノートパソコンを開いた際に、滑り落ちずに使いやすい高さに設定。また、すべてのベンチでは、靴の踵が接する部分は自然に湾曲させることで汚れが付きにくい形状としている。また、ベンチの素材には一体成型のウレタンを用いて、ソファの座面程柔らかくはないが、押せば凹む程度のソフトな感触があり、朝にはここでベッドのようにうたた寝する学生もいる程の快適さを実現している。大きなベンチには複数人が座ることができ、一番背の高いものでは高さ800mmと受付カウンターのように使えるものまである。また、家具単体としての使い勝手のみならず、可動性が想起される形状のとおり、積み重ねて使えることもこのベンチの大きな特徴だ。大きなものでも二人で持ち上げられる程度の重量であり、二つ三つを積み上げることで、さまざまな居場所をつくり出すことができるのだ。デザイン系の学生達のクリエイティブな使い道を大いに引き出すアイテムである。五十嵐さんは「企業のオフィス内にこのベンチを設けても、同僚の視線等が気になるのでここまで自由に使われなかったでしょうね」と語る。

　石ころのベンチを中央に積み上げるという、一般的に想像される休憩所とは異な

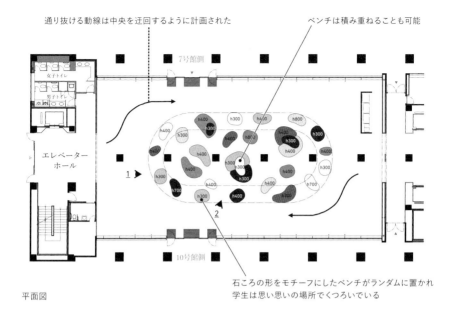

通り抜ける動線は中央を迂回するように計画された

ベンチは積み重ねることも可能

石ころの形をモチーフにしたベンチがランダムに置かれ
学生は思い思いの場所でくつろいでいる

平面図

るチャレンジングな提案する際には、ある程度の異論を予想していたというが、「今の学生にはこんな風に安らげるところが必要だと思う」と事務方の教職員からも大いに賛同されたことはとてもうれしい反応だったと五十嵐さんは振り返る。

ユーザーの観察から生まれた空間

　この中心性を生む家具配置には、照明計画も大きな役割を果たしている。数字のゼロの形をした、大きな反射板のような真っ白いサークルが部屋の中心を取り囲むように天井に設けられており、約600㎡ある大空間の中央が何か特別な場所であることを示しているのだ。これは、照明デザイナーの山下裕子さんと話し合うなかで提案されたライティングの一つだったという。白いサークル部分が面発光しているように見えるが、実はこれは黒いスケルトン天井との対比で光って見えるが、床に反射した光を拾っているのだ。サークルの下面はフラットで端部をボーズ面とすることで、シームレスで抽象的な印象をつくり出している。この空間のベース照明には、グレアレスの高性能ダウンライトを採用し、上部に眩しい光源が見えないこともこの白いサークルを際立たせている。また、照明は時間帯によって色温度や照度を変えるプログラムを組み、午前中は爽やかな光り方、夜は中央だけを色温

度の低い光で照らす等、24時間の中で異なるシーンを見せる。

　現地を案内してもらった2022年の時点で、すでに竣工から4年が経過していた。学生達はオープン後すぐにこの環境を使うようになったかと尋ねると、「私達の想像以上に、学生には最初からストンと理解されたというか、すぐにこちらの思ったように使われるようになりました。照明の効果もあって良い雰囲気の場所となったので、ゼロスペースができてから学内にカップルが増えたなんて言われているんですよ」と五十嵐さんは微笑む。

　歩行スピードを緩めることがここに休息の場をつくるには欠かせない、という行動観察から導き出したインサイトが、結果、ユニークな石ころのベンチを配した全体計画へと結びつき、人それぞれにベンチに腰かけたり、寝転んだりと思い思いに過ごす時間を学生に提供した。学内の進路情報センターという、かつて大学には必須だったサービスは手のひらのスマートフォンでこと足りるようになり、学生には休息のため、そして、集って何かを企んだり、ただリラックスして談笑する場に生まれ変わったことは、今の時代を象徴しているように思える。そして、現代の学生に必要なものを的確に拾い上げ、それを、既成の家具を一つも使うことなく、全くのオリジナルの環境としてここにつくり上げた五十嵐さんのデザインソリューションに感服すると共に、このシンプルな空間で石ころベンチの心地良さを体感しながらデザインを学び、社会へと羽ばたいていく学生がつくづくうらやましく思う事例である。

33 シシ オフィス・プレスルーム（2010年）
ワンフロアを上下に分割する ── 大地に見立てた一枚の鉄板

1｜打ち合わせスペースの70cm 上にショールームの床があり、パーティションは鉄板がめくれ上がったデザイン。

　人の居場所をテーマにした空間に思いを巡らせる中で、10年以上前に見た、レザージャケット等で知られる神戸発のファッションブランド、「sisii」（シシ）のショールーム兼オフィスは、働く場所とブランドの世界観を発信する機能を、一つの場に見事にまとめ上げていた点で忘れられない事例だ。竣工したのは2010年、デザインを手掛けたのは建築家の永山祐子さん（永山祐子建築設計）だ。近年の活躍は、「ドバイ国際博覧会日本館」（2020年）、「東急歌舞伎町タワー」（2023年）の外装デザイン、「TOKYO TORCH Torch Tower」（2027年度竣工予定）の低層部デザイン等、スケールの大きなプロジェクトで見ることができるが、それらと根底に通じる永山さんの考え方の軌跡をここでは紹介していきたい。

空間をゆるやかに繋ぐ"床の扱い"

　アパレル企業のプレスルームとはその時々の新作を展示し、バイヤーと商談を行ったり、スタイリストが訪れたりするスペースであり、店舗程のつくり込みはせずとも個性的な空間を設えているブランドは少なくない。

　このシシ オフィス・プレスルームで何よりも印象深いのは、「分け隔てるのではなく、ゆるやかに分けたり繋げたりしたかった」と永山さんが語る、ひと繋がりとなった空間性を可能とした"床の自由な扱い"だ。エントランス内に広がるプレスルームの床は、一部ではめくれ上がってパーティションとなり、奥のオフィスではデスクの天板となる。少し言葉を補うならば、プレスルームから階段を3段降りて、70cm下がったオフィスエリアに入ると、そこには、プレスルームの床と同じ高さ、同じ表面仕上げのデスクがあり、椅子に腰掛けると上半身だけが前面道路やプレスルーム側から見える状態となるのだ。

　こうした床の高さを設定した理由には、この空間を大きく印象づける植栽の存在があった。永山さんがデザイン依頼を受けた時には、このプロジェクトの植栽を造園家の荻野寿也さんが担当することが決まっており、クライアントからは、植物と共にあるインテリアが求められたのだ。「植栽を植え込むには、おおよそ60cm 程

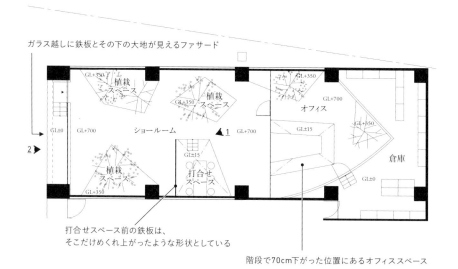

ガラス越しに鉄板とその下の大地が見えるファサード

打合せスペース前の鉄板は、
そこだけめくれ上がったような形状としている

階段で70cm下がった位置にあるオフィススペース

平面図

度の土の厚さが必要でした。所々にプランターを置いていく方法もありますが、その高さを場として捉えられないかと考える中で、ちょうどデスクと同じくらい高さなので、机の上下で空間を使い分けることができれば、オフィスの記号となるデスクの存在を消せるのではないかと考えたのです」と永山さんは当初のアイデアを振り返る。そこには、プレスルームでつくり上げた世界観を妨げないために、オフィスの雑多な様子が目立たないようにしたいという思いもあったという。

オフィス手前にある、独立した打ち合わせスペースは、プレスルームの床をめくり上げて垂直に立ち上げた台形パーティションの奥にある。これは、海岸通りを歩く人から商談中の姿を見せないためであるが、床の切り欠き部分をそのまま立ち上げた造形は、極めてコンセプチュアルなものだ。道路側から見ると、ミラーによる写り込みが、窓のある家型のシルエットをつくり出す。そして、床を下げたオフィスや打ち合わせスペースと鉄板の床との間はシェルフとして活用することで、オフィスワーカーの使い勝手にも配慮がなされている。

植物ではなく、大地を持ち込む

また、このスペースでは、単に植物を置くのではなく、生々しい大地を室内に持ち込んだことに絶大な効果があった。永山さんが設定した"大地"という見立てに対して、造園家の荻野さんは「六甲の自然の原風景をこの場所に再現する」というコンセプトをもとに、所々に穿たれた鉄板上の空地に、溶岩やコケを用いた築山に木々が茂る状況を実現しているのだ。大地が途切れることなく続くシーンを企図してミラー張りされた壁に対し、荻野さんは写り込みを考慮した植物を選んで量感を調整する等、互いの考えを理解した上で、思いを込めて全力でやり切るようなコラボレーションができたと永山さんは回想する。この仕事をきっかけに、庭園デザインの際には、幾度となく荻野さんを指名していることにも、永山さんの信頼ぶりがうかがえる。

そして、築山はただ眺めるためではなく、その一部にはオリジナルの黒いY字型のハンガー什器が設置され、植物上に最新のアイテムが展示されることでこの空間のプレスルームとしての機能が完成する。特徴的なハンガーパイプは、この空間に既成のハンガー什器はふさわしくないため、樹木にさなぎがぶら下がるようなイメージからデザインしたものだという。

2｜外部からも鉄板を用いた床の存在が見え、ショールーム内の植栽が来訪者に強く印象づける。

当たり前を疑う

　シシでの独創的な床のアレンジを見て、その自由な発想に驚かされた永山さんによる仕事として思い出すのが、京都の和食店「イザマ」の壁である。客席の間仕切り壁は、わずか4.5mm厚の鉄板を天井から吊り下げて固定、表面の漆喰仕上げを含めて、わずか8mm厚の壁を実現していた。内装仕上げで一般的なスタッドに石膏ボードを張れば、必然的に7、8cmになるところを、その10分の1の8mmである。

　こんな想像もつかないデザインはどのような思考から出てくるのかを尋ねると、何か新しくて変わったことをしようというアプローチではなく、必要な状況をどうすればつくれるかというシンプルな疑問が起点になるのだという。

　イザマでは、「壁の奥にある風景を綺麗に切り取って見せたい、という思いから壁にはできるだけ厚さがないほうがよい」という発想となり、一番薄い壁を実現するためには天井から薄い材を吊って固定する方法が導かれたという。しかし、同時

に手触りや見た時の温かみ、やさしい風合いを保つためには塗装ではなく、漆喰仕上げを選択。食事に訪れるお客さんの視点からすれば、下地の厚さや軽量化するための鉄板のパンチング加工といった見えない工夫に価値はないかもしれないが、窓外の景色がシャープに見えることや、部屋間を移動するちょっとした瞬間に感じられる繊細さが、その店舗での体験をポジティブなものに変える一助となっているのだ。

　デザインを進める手順として、「こうしたものを形づくるにはこんな要素がいる。もし、仕切る壁が必要であれば、そもそも仕切る壁ってなんだろうか、と。当たり前のことを一度疑ってみる。そして、変えられるものであれば根本的に変えて、疑問を解く手段を考えていくのです」と永山さんは説明する。シシの床の扱いや、イザマの壁といったオリジナルのデザインは、設計者の興味に基づいているが、エゴとならないのは、永山さんのシナリオ上にあるゴールが、あくまでお客さんや利用者視点で描かれているからだろう。ピュアな疑問から発想し、その問いに挑むことを厭わないからこそ、まだ見ぬ新しさが次々と生まれるのだ。

34 社食堂 （2017年）

おかんのいる食堂をワークスペースに " 混ぜる "
—— シームレスに場を繋ぐ全開放できる建具

　谷尻誠さんと吉田愛さんが共同代表を務めるサポーズデザインオフィスが、東京事務所の移転に伴い、社員の食堂であり、社会の食堂であるというコンセプトから名付けた「社食堂」を事務所内にオープンしたのは2017年。ここで彼らが掲げたタグラインは極めて明快な一言、「細胞をデザインする」だった。

　設計事務所が思い切ったことを始めるタイミングというのは、人それぞれ、事務所それぞれであるが、2017年以降のサポーズデザインオフィスの仕事、そして、起業家を名乗る谷尻さんの活躍の場の広がりは他に例を見ないものと断言できる。

ひと繋がりの事務所と食堂

　「良いデザインをすることは大切ですが、健康でないと良いデザインはできません。でも、スタッフの食事を見ているとほぼコンビニ弁当ばかりなので、みんなの細胞はコンビニの食事でできていると思ったんです。それを改善するには、事務所に " おかん " がいたらいいなと思い、スタッフの体調を整えるために、おかん的なサービスのある社員食堂をつくることにしました。どうせやるなら、近所の人も来てくれるといいなと思って」と社食堂をつくった経緯を話す谷尻さん。飲食店として営業するつもりで物件を探し、見つけたのは約60坪の半地下のスペースだった。半地下とはいえ、南北2面のドライエリアから光の入る室内には快適なスペースが広がっている。エントランスの階段横にある、黒皮スチールの鉄板でつくられた美しい書棚には、デザイン書や絵本等が並び、フロア中央には、アイランド型の大型カウンターが鎮座している。

　そして、この空間の最大のおもしろさは、事務所のワークスペースと食堂がシームレスに繋がっていることだ。デザイン事務所がカフェ等の飲食店を併設した事例は過去にいくつも訪れたことがあるが、どこもデザイナーらしい素敵な空間が整えられており、各々のセンスを発信する場として機能していた。しかし、社食堂のように、執務スペースと一般の人も訪れる食堂が同じ部屋で完全に繋がっているパターンは

見たことがない。構想段階から、一体のイメージをしていたという谷尻さんに社内の反対意見がなかったかを聞くと「うるさくて仕事ができないとか、守秘義務は守れるのか、などとネガティブな意見がものすごくたくさんでてきたので、あ、これは間違いなく新しいと確信しました。まだ価値化されていないだけで、それらを解決すれば新しい価値になると確信したんです」。谷尻さんが社内を説得した言葉が痛快だ。「事務所と食堂をきちんと分けたら、どこにでもあるものになってしまうんだよ」と。人が不安に思うことに対する真逆のポジティブな見方と、新しさに躊躇しない谷尻さんのアプローチは、サポーズデザインオフィスの背骨のようなものなのだろう。

前例がないことは自分達でやってみる

　食堂はイベントに使うことも想定していたので、書棚の裏にはガラスのスライドドアを設けて仕切れるようにはしているというが、営業を開始して4年程が経った現在、閉ざすことはほぼないという。「世の中って"混ぜるな禁止"なんですよ。何かを混ぜると、絶対に問題が起こるので、混ぜないようにセグメントするのが社会では一般的ですよね。でも、僕らは混ぜないとダメでしょっていう考え方なので社食堂みたいに、いつも混ぜてる」と谷尻さんは笑う。

　そんな考え方を目の当たりにして思い出すのは、かつて、取材者の役得で立ち会っ

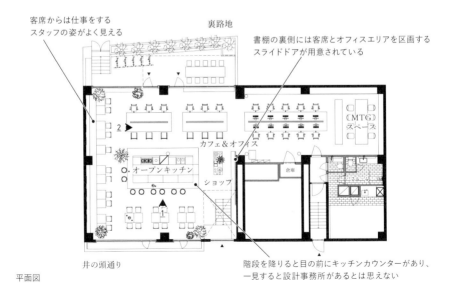

客席からは仕事をする
スタッフの姿がよく見える

裏路地

書棚の裏側には客席とオフィスエリアを区画する
スライドドアが用意されている

カフェ＆オフィス

オープンキッチン

ショップ

食庫

MTG
スペース

井の頭通り

階段を降りると目の前にキッチンカウンターがあり、
一見すると設計事務所があるとは思えない

平面図

1│左手の客席と右手の執務スペースの中央に設けられた食堂のアイランドカウンター。

た指名コンペでのことだ。驚くべき提案を携えてきた谷尻さんと吉田さんの二人は、デザインに込めた思いを語り、運営者からの質疑に答えきった上で「全く新しい体験を提供し、お客さんに愛される店になる」と締めくくった。まさに、ザワつくクライアントの眼前に"踏み絵"を置いて帰るようなプレゼンテーションだった。その案が審査会の目玉となったのは言うまでもない。

　社食堂では、飲食店としての運営も自社で担っていることも興味深い。「設計を任されても、経営の話ではカヤの外に置かれることがあるので、運営がわかればもっと信頼されるはずだと思いました。経験がなければ"なんちゃってコンサル"みたいになってしまうし、僕はリアルが好きなので自分達でやって答えを見たいんですよ」とその意図を説明する。創業時から、頼まれてもいないグラフィックやロゴを提案したり、自社でイベントを開催してきたのは、師匠がいないので、自分達なりにサポーズらしいやり方を常に探し続けてきたからだという。

2 | カウンター前から執務スペースを見通す。右奥、書棚裏のスライドドアにより区画できる設計。

昼になると食堂という現象が起きる場所

　彼らは、お昼時になれば食堂として人が集まってくる場をつくり、労働環境の悪しき手本となることの多い設計事務所を、ワークプレイスの手本として、オフィス開発担当者がわざわざ見にきたくなる空間に変えて見せた。大手組織事務所とは異なるスケール感の中で、ワーカーと企業の新しい関係性をつくり出し、クリエイティブな事務所の未来に大きなインパクトを与えた。「普通の社員食堂であったら食事の時間を過ぎたら、何にも使われないと思いますが、僕らはここで、"昼になると食堂という現象が起きる"場のつくり方をしている」と谷尻さんは言う。食堂という機能はあるものの、いつも名前を外して物事を考えていくサポーズらしい捉え方である。

　オフィス内を見渡すと、天井には配線ダクトを内側に仕込んだH鋼をグリッド状にまわしてスポットライトを取り付け、前事務所を踏襲したデザインとしている。モ

ルタルのグレー、黒皮スチールを多用したカウンターやテーブル、書棚の無彩色を
ベースとした空間には、壁に飾った写真やグリーンがよく映える。また、食堂で過
ごす華奢な逆三角形の椅子は、サポーズデザインが過去に手掛けたオリジナルチェ
アで、ここで過ごすうちに、彼らのデザインに対する思想から、素材感に対する
美意識等をまるごと体感することができる、生きたポートフォリオとなっている。新
たな東京オフィスを構想していた外資企業のクライアントは、複数の設計事務所を
訪問した後に、ここに立ち寄り、食堂とシームレスに繋がったスペースで業務が行
われているのを見て、サポーズに即決してくれたという話も頷ける。
　「正直、デザインはみんな上手なので、どう比較優位性を得るかというと、それ
以上に何ができるかをいつも考えている」という谷尻さんは、2017年には吉田さんと
共に不動産会社を設立。谷尻さんは他にも検索プラットフォームの「テクチャー」を
立ち上げたかと思えば、北海道の美瑛町で小さな村づくりに取り組み、吉田さん
はスタイリングや空間プロデュースの別会社エトセトラを立ち上げる等、それぞれ活
躍の場を思い切り拡げている。建築デザインで培ったノウハウを生かしながら、周
辺の業務や外の世界で渦を巻き起こしている様は、ビジネスの細分化が進む前の、
中世のアーティストや発明家の働き方、動きまわり方を見ているようでワクワクさせ
られる。また、出身地である広島では、2023年9月にサポーズデザインオフィスや
社食堂の2号店、さらにはサウナも含む5階建ての複合施設「猫屋町ビルヂング」が
オープンしており、施設運営も彼らが手掛けていくというので、自発的にやってみ
るカルチャーがビルと共にどう進化していくか楽しみで仕方がない。

対談

飯島直樹さんと語る、現代インテリアデザインの軌跡

飯島直樹（飯島直樹デザイン室）× 山倉礼士（IDREIT）

協力 | LIGHT & DISHES

飯島直樹（いいじま・なおき）
インテリアデザイナー

1949年　埼玉県生まれ

1973年　武蔵野美術大学造形学部産業デザイン科
　　　　工芸工業デザイン科　卒業

1976–1985年　スーパーポテト

1985年　飯島直樹デザイン室設立

2004–2014年　一般社団法人日本商環境デザイン協会
　　　　　　　理事長

2008–2014年　KU/KAN デザイン機構理事長

2011–2016年　工学院大学建築学部教授

1949年埼玉県生まれ。1973年武蔵野美術大学卒業後、日本のインテリアデザイン変革期にデザイン経験を開始した。杉本貴志氏が率いるスーパーポテトで「パーラジオ」「無印良品青山」などに従事、1985年に飯島直樹デザイン室を設立。「伊丹十三邸」「THE WALL」「内儀屋」「資生堂5S ニューヨーク」「東京糸井重里事務所」「野村不動産オフィスビル PMO」「工学院大学ラーニングコモンズ」「STONES」など幅広い空間デザインを手がける。著書に『casuisutica Naoki Iijima Works1985-2010』（平凡社）、『Melting Function 溶ける機能—飯島直樹のデザイン手法』（かたちブックス）がある。2011-2016年工学院大学建築学部教授。

　日本の商空間デザインを振り返ると、ファッションストアが先導した90年代、デザイナーズレストランと呼ばれる飲食店のブーム等、時代を象徴する店舗と共にさまざまなシーンが思い起こされる。当書では、年代順に並べると1997年の「松虎」から、2024年現在も進行中の「スクワット」までを、編集者という傍観者的な立ち位置からピックアップして紹介してきた。そこに、インテリアデザイン界の中心で、設計者として半世紀近く商空間デザインと格闘し、2004年から2014年にはJCD（日本商環境デザイン協会）理事長として、世に生み出される商空間デザインを評価してきた当事者による洞察を加えたく、飯島直樹さん（飯島直樹デザイン室）を特別ゲストに迎え、対談取材を実施した。

ホテルに求められるラグジュアリー

山倉｜1章では、ホテルと飲食店を紹介しているのですが、この業種で飯島さんにとって印象に残るデザインを教えてください。

飯島｜まずは、「ハイアットリージェンシー京都」（2006年）から話しましょうか。

山倉｜スーパーポテトによるハイアットの仕事では、グランドハイアットシンガポール内の複合型レストラン「メザナイン」（1998年）で杉本貴志さんの名が世界に知れわたり、「グランドハイアット東京」（2003年）でのチャペル等を経て、韓国の「パークハイアット ソウル」（2005年）で

は全館を手掛ける快挙へと繋がっていきました。この京都は、それらに続く計画です。

飯島｜メザナインはデザインの魅力だけでなく、ホテルビジネスとして大成功したことで世界から認知されましたね。当時、シンガポールの飲み屋にいったら、みんなスーパーポテトの名を知っていて驚きました（笑）。そして、京都のハイアットは群を抜いて綺麗だし、スケール感がとても良い。ラグジュアリーホテルにこの種のデザインが投入されたのは、この京都が最初だったように思います。

山倉｜この種というのは？

飯島｜倉俣史朗さんに代表される、現代デザイン＝モダニズムの延長線上にあるピュアなデザインが、日本では一つの流れとしてありますが、官能的な要素やラグジュアリー性が求められるホテルでは相性が合わないところがある。このホテルでは、ギリギリのところでラグジュアリーを表現しながら、ピュアなデザインソースを強引に突っ込んでいる。また、ロビーまわりの天井に着目してそこに光を合わせた構成は、コンテンポラリーデザインのアイコンであるグリッドを用いた「ポスト」（1975年）等に見られる1970年代的なデザイン概念が根底にあるように思います。その時代のデザインソースが、化石のようにこのホテルに表されたというのもおもしろい。

山倉｜格子等、日本の伝統的な意匠が下敷きになっている点も、京都を訪れる人にはたまらないですよね。ただ、一つひとつは伝統的な要素でも、空間は古びた印象を与えません。

飯島｜それは、ハイパーモダニズムというか、モダニズムの余韻を残した方法論と、伝統的な意匠をいったん粉々にした"くずし"の手法

とがうまく調和しているからだと思います。

山倉｜なるほど。飯島さんの後輩となるスーパーポテトの出身者では、橋本夕紀夫さんも「ザ・ペニンシュラ東京」を手掛けています。

飯島｜急逝されたのはとても残念ですね。橋本さんは、日本のインテリアデザイナーが直面する、かき分けて進まなければいけない領域を泳ぎ切った人だと思います。ものすごい量の仕事を残していますが、彼は装飾的なものを否定しなかったんじゃないかな。デザインにはコンテンポラリーな手法と装飾的なものという両極があり、特に商業の空間では研ぎ澄ませたコンテンポラリーな手法だけでは対応しきれないように思うし、同様に感じている人は多いのではないでしょうか。20世紀はバウハウスの「装飾は悪」という思想の影響を強く受けているので、そこにせめぎ合いがある中で、「八芳園」のバンケット「白鳳館」（2010年）の繊細な格子の意匠等は装飾として見事にやり切っている。

山倉｜橋本さんは、日本でデザインするということに対して、伝統的な素材や職人技を駆使して真正面から向かっていった印象があります。つくり手との対等な関係をつくる人間的な魅力があり、愛される人柄と職人との信頼関係がデザインに存分に生かされたのでしょうね。

飯島｜日本的な意匠の魅力は、かなりの部分が手業の質に掛かっているのでそこは重要です。同じような取り組みをする人は多くいますが、橋本さんは、職人と空間をつくる可能性を最も追求していたデザイナーだと思います。バーでは、「松虎」も外せません。高取邦和さん（高取空間計画）の代表作の一つですが、これは現象としての空間のメルクマール、別格です。ポテトを立ち上げた杉本さんと高取さんは、学

生時代は東京藝術大学で鍛金を学んでいました。手仕事をきっかけにアートに目覚め、もの派の影響を受けたりしながらインテリアの世界へと進む過程では、『瞬間と持続』（ガストン・バシュラール）等の現象学にも触れていたようですが、そうした思想の痕跡が一番ピュアな形となったのが、この「松虎」だと思います。

山倉｜僕が初めて高取さんにお会いしたのは2003年なので、「松栄」（1992年）以降、恵比寿で繁盛店をつくりまくっていた中盤なのですが、カウンターの手触り一つにものすごくこだわっていたり、薄っぺらい新建材を使わないといった素材使いが印象に残っています。

飯島｜そうですね、文字通り、目と身体、つまり手で接するところに何かを"でっちあげる"と言ったら語弊がありますが、高取さんは、触れる瞬間から何ごとかを創造する、という取り組みをされていたのだと思います。

山倉｜確かに、暗闇の中だからこそ、より手の感覚に意識が向かい、炎の微かな音が聞こえてくるのは間違いないですね。日本の伝統的な意匠に話を戻すと、工芸的な素材を生かした、インテンショナリーズによる「クラスカ」（2003年）も衝撃的でした。それまで、伝統工芸をかっこいいものだと思って見たことはなかったのですが、使い方次第でこんなに印象が変わるのかと、逆輸入品を見ているような印象を受けました。

飯島｜「クラスカ」は、デザイン要素をそれまで使われていたシチュエーションとは、完全に切り離して違う所に持ってくるスーパーインポーズという手法ですね。知っている素材が全く違う意味合いを持つようになる。このホテルではトラフ建築設計事務所が客室を手掛けていまし

たが、次代のクリエイター、建築家らがコラボレーションして一つの世界像をつくり上げようとした、象徴的なものだったと記憶しています。

インテリアに見るオーセンティシティ

山倉｜続いて、物販店の2章や、街との関係に特徴のある3章の話題に移りましょう。米谷ひろしさん、君塚賢さん、増子由美さん率いるTONERICO:INC.は、先程の飯島さんの分類で言うと、ピュアなモダニズムの側にある徹底したミニマリスティックなデザインで近年は「アーティゾン美術館」（2020年）のような大きな仕事を完成させました。

飯島｜そうですね、米谷さん達のつくるものは一貫していますね。アーティゾンは、スタジオ80出身という彼らのキャラクターが色濃くでていると現地ではっきりと感じました。それに、事務所運営のスタイルにも内田繁さんの考え方を引き継いでいるような気がします。

山倉｜米谷さんよりも下の世代では、ミニマルと口に出すと、「自分よりミニマルな人はもっと他にいる」といつも言われてしまうのですが、オリジナルであることを大切にし、余分な要素を消していくようなデザインを手掛けるデザイナーとして、二俣公一さん（ケース・リアル）や柳原照宏さん（Teruhiro Yanagihara Studio）の仕事を紹介しています。

飯島｜彼らの作風が、倉俣さんのように純粋無垢なものに回帰するかというと、決してそうではないと思いますが、私としては彼らのデザインに"余白のスタイル化"を感じます。ニュー余白派、とでも言ったらよいのかな？使うものを相当吟味しているし、素材、ディテールの扱いに長けている。暑苦しい押し出し方ではな

く、ちょっと控えめに主張してくる感覚があって、二俣さんの「DDD HOTEL」では色を使っていたり、独特なものがありますよね。

山倉｜この二人を一括りにする意図はありませんが、かなり突き詰めたプロダクトデザインを手掛ける人による、インテリアという印象を僕は受けています。

飯島｜うん、プロダクトをものすごく一生懸命やっていますよね。プロダクトデザインはインテリアに欠かせないものですが、安易に手を出せることではありません。それに対して、真っ当に、そして意識的に向き合っているんじゃないかな。

山倉｜素材についても、嘘っぽさがない。歴史遺産等を評価する時に"オーセンティシティ"、真正性、もしくは真実性と訳される指標があるのですが、彼らのインテリアの仕事からは、そんな本物感を強く感じます。

飯島｜昔風に言うと、リアリズムだね。もの派に通じるところがあって、石を削り出したディテール等を見ると、自然が持っているリアルな力を手前に引きずり出そうとしている。

山倉｜1章では二人によるホテル「ビジュウ」（2013年）と「DDD HOTEL」（2019年）を紹介していますが、ホスピタリティーデザインを専門としていないデザイナーによるホテルという面でも、とても新鮮に見えました。

飯島｜どちらも、いわゆるホテル的な発想でつくっていないですよね。物販店やショールーム等で培ったものをホテルの空間に押し広げたのかもしれません。ちょっと時代は戻りますが、ホスピタリティーのデザインについては、大阪で多くの仕事をして、その後、日本中の商業空間を手掛ける間宮吉彦さん（インフィクス）や関西方面のデザイナーのことを話したいですね。

山倉｜大阪・堀江のランドマークとなった「ミュゼ」（1998年）の一帯は間宮さんが手掛けた店舗ばかりでしたね。

飯島｜私は、90年代に大阪に行って、間宮さん、森田恭通さん（GLAMOROUS co.,ltd.）らが手掛けた店舗を見て歩いたことがあります。まず、間宮さんについて言うと、現代的なデザインの素養を持ちながら、昔ながらの店舗のノウハウをないがしろにしていない。クラブならクラブ、スナックならスナックのセオリーをなぜ若いのによく知っているんだろう、うまいなと思って見ていました。昔の映画で森繁久弥が女性を口説きにいく店のような、古き良きクラブの感じがあって心地良いんですよ。どこかでその感覚を体得したのでしょう。

山倉｜間宮さんによると、店舗オーナーととても近い立ち位置で、それも、かなりの発言権をもってプロジェクトを動かしていたそうなので、オーナーと近い関係性、大阪という街、そして人の個性とが絡み合うことで、そうしたデザインが生まれたのかもしれませんね。

飯島｜なるほど、だとすると山本宇一さんと形見一郎さんの関係性に近いのかな。そのお二

人については後で語りましょう。インテリアが建築と大きく異なるのは、家具と調度に満ちた世界であることで、私がいた頃のスーパーポテトや同時代の内田繁さんらは、空間的な思考が強かったので調度を否定していました。しかし、間宮さん、森田さんらは、家具や什器の扱いがとにかく上手で、その絶妙な具合に驚かされました。

山倉｜居心地の良い空間をつくるデザイナーが、大阪から"トロール軍団"のように押し寄せてきて東京の仕事をかっさらっていった、と聞いたことがあります。大阪のデザイナーとひとくくりにするには皆さん個性的なので乱暴だとは思うのですが。

飯島｜トロール軍団と名付けたのは、近藤康夫さん（近藤康夫デザイン事務所）です（笑）。90年代、バブルの後、日本中の仕事が消えた時に都心の仕事を底引き網みたいにごっそり獲っていったから。

山倉｜2000年前後には、森田さんのインパクトのあるデザインによる「美食酒家 ちゃんと」、「ケンズダイニング」等が一世を風靡しました。

飯島｜彼らの飛躍のきっかけとなったのは飲食店ですね。人の動きを相手にせざるを得ない仕事なので難しいんですよ。彼らの多くはバーテンダー等サービスをする側で働いた経験があると聞いたことがあるので、ノウハウがあったのかもしれません。商業空間のデザインを考えた時に、森田さんというのは特別な人ですね。彼にしかできないデザインがある。かといって、全員が森田さんを真似したら良いのかというと、それも違うとは思うのですが、商業には彼のデザインが必要なのだと思います。

山倉｜神戸に行くと、森田さんが若手の頃に手掛けたバー巡りをするんですが、そこで働いている人達が愛着をもって店舗を使っているという話を行く先々で聞くのでうれしくなります。デビュー作の「Shot Bar COOL」（1987年）や、びっくりするほど暗い「LEN」（1998年）等が健在ですからね。

飯島｜オーナーと設計者との類まれな連携から生まれた名店として、東京・駒沢の「パワリーキッチン」（1997年）の話をしましょう。空間プロデューサーの山本宇一さんがオーナーで、形見一郎さん（Kata）が設計した店舗です。

山倉｜形見さんは同業者からの評価がとても高いデザイナーですよね。ぜひ、飯島さんの意見を聞かせてください

飯島｜形見さんは、めちゃめちゃうまい人だと感じていました。表参道の「モントーク」（2002年）もあのコンビでしたね。かつて、宇一さんから聞いて予想外だったのは、彼ら二人のやりとりでは平面図がものすごく重要だったと言うんですよ。特に厨房まわりや従業員の動線、そして、お客さんがどう歩いてどう座るか、その時の目線のやり場等を徹底的にシミュレーションしていったそうなんです。

山倉｜あの二人でないと気づかないポイントがあるのでしょうね。

飯島｜そうなんです。普通だったら絶対出っ張らせないところにわざとガラスケースを飛び出させていて、お客さんもスタッフもそれを避けて歩かないといけない。「通路を狭くして、クネクネ歩かせるほうがいい。そうすることで店内にリズムが生まれるんだ」って宇一さんは言うんですよ。確信犯的なインテリアデザインのお店なんだということがよくわかりました。

山倉｜人気店を続々と生み出した組み合わせで

は、ゼックスを手掛けた塩見一郎さん（スピンオフ）、ヒュージの店舗を多く手掛けた戸井田晃英さん（アッタ）や佐野岳士さん（SWeeT）といった、飲食企業と設計者の関係が思い浮かびますが、山本さんと形見さんでなければ、あの一連の店舗は生まれなかったのでしょうね。

飯島｜二人で考えている感じがしますよね。移転前のコーヒー店「ブリティシングス」（2013年）は当時私も行きましたが、床タイルの雰囲気がちょっと違うといって、一度貼ったものをすべてやり直して模様の向きを変えたとか、カウンターの高さを微調整した話だとか、普通の店づくりではそこまでやらないですよね。宇一さんと形見さんによるお店は、インテリアデザイン界の"バケモノ"です。一方にモダニズムの影響を色濃く受けたピュアなデザインがあるとしたら、形見さんの仕事はその真逆に位置するものだと感じますね。

課題を解決するデザイン手法

飯島｜形見さんと同世代のデザイナーでは、片山正通さん（Wonderwall®）のことにも触れなければいけませんね。90年代、片山さんは黒川勉さん（アウトデザイン）と二人で、エイチ・デザイン・アソシエイツというユニットで活動していました。彼らの仕事からは、われわれ世代が培ってきたものとの違いを明確にするような意思を感じたし、過去と分断した切断面を露わにするようなデザインだったように思います。そうした世代の台頭を感じたのは、95年前後のことでした。

山倉｜飯島さんは片山さんの実績の中で、裏原の「NOWHERE（BUSY WORK SHOP® HARAJUKU）」（1998年）お気に入りとおっしゃっていましたね。

飯島｜はい。あの仕事以降も、彼の仕事はずっと一貫している。商業空間のデザイナーとしての生き方をあれほど自覚していて、また、そこに向かって一直線という人は他にいないのではないでしょうか。商いの世界って、風に吹かれる柳のように柔軟に見えたほうが良い側面もあると思うのですが、片山さんは風が吹こうが何があ

ろうがビシッと立っている印象がありますね。

山倉｜片山さんへの取材で印象深いのは、店舗が自身の作品だという考え方は全く持っておらず、プロジェクトの課題を見つけ出し、そこに対して最高の答えを出すことに全力を注いでいるというスタンスでした。同じファッションストアでも、ハイエンドからユニクロのような価格帯の店舗まで、ブランドらしさに満ちた空間が立ち上がるのは、そうした思考によるのだろうと感じます。

飯島｜そして、彼の回答には片山さん独自のワールドというか、ある一つの類型があるようにも感じます。作風として独自のものがあるだけに、クライアントからそれを求められてしまうと、期待に答えざるを得ない場面もあるのかもしれませんね。

いま、動き出していること

山倉｜さて、2000年以降には、若手建築家が店舗インテリアの仕事で大いに活躍するようになった時期がありました。

飯島｜ゼロ年代の建築家達の時代ですね。2005年前後からでしょうか、JCDデザインアワードに、若手建築家からの応募が急増し、中村拓志&NAP建築設計事務所、nendo、KEIKO+MANABU、トラフ建築設計事務所らが多くの賞を取りました。飲食業界の勢いがしぼむ中で、彼らはヘアサロンやメガネ店、軽快なカフェ等で、既存の店舗のあり様とは全く異なる方法論、振る舞い方のデザインを手掛けていました。

山倉｜JCDデザインアワード大賞を受賞した、中村拓志さん（中村拓志&NAP建築設計事務所）によるヘアサロン「ロータス ビューティー サ

ロン」（2005年）、中村竜治さん（中村竜治建築設計事務所）による結婚式場内のダイニング「ブロッサム」（2007年）等はその後も話題となる店舗でしたね。

飯島｜当時流行していた概念に、アフォーダンスがあります。ある形をもったものには理由や意味があり、それによってものごとの秩序や制度ができているという考え方を逆手にとったデザイン手法に彼らは取り組んでいたように思います。あの世代の建築家の数人は学生時代に自主的な勉強会を開き、空間にある形式性をどう解いていくかといった競い合いをしていたそうなのですが、そうした思考から導かれた成功例が、中村拓志さんのロータス ビューティー サロンだったと思います。順序としては、ピュアなモダニズムの思想を突き崩した片山さんや形見さんらの台頭、そして、アフォーダンス派と呼べるようなゼロ年代の建築家の活躍、という流れですが、そうした事象は常に次の時代に突き崩される可能性があり、その理由は商業店舗であるがゆえの特性、つまり、商業性と装飾性とのバランスにあるのかもしれません。

山倉｜なるほど。ゼロ年代以降でいうと、「六本木ヒルズ」や「東京ミッドタウン」等の巨大開発が話題を独占する時期や、外資系ラグジュアリーホテルの進出ラッシュを経て、その後は、先に出た「プリティシングス」、加藤匡毅さん（パドル）による京都・嵐山等のコーヒースタンド「アラビカ」等、バリスタと会話したくなるような店舗へのより戻しがあったように感じます。

飯島｜加藤さんの書籍『カフェの空間学』を読んでみて、彼がバリスタの立ち居振る舞いを大切にしながら考えていく人だということがよくわかりました。

山倉｜最近、中村圭佑さん（ダイケイミルズ）が、東京には予定調和的なものが増え過ぎていると語っていましたが、マーケティングもデザインもよく練られた大型商業施設が都心部に多く立ち現れた結果、その対極にある小さな個人商店が新鮮に見えている、ということがあると思います。

飯島｜そうですね、小さな商業空間をばかにしてはいけません。現代は、今風のおしゃれな

部分をコピペしたら誰にでもかっこいい店ができてしまう。しかし、そんなものが行きわたると必ずデザインは停滞します。その過程で、商いの現実に基づく何事かを考えた人達が新しいことを小さなスペースから始め出す。その小さな動きが大きくなり、次のムードが醸成されていく、という繰り返しなんだと思います。

山倉｜その通りですね。そうしたサイクルの中では、内田繁さんの薫陶を受けたトネリコの仕事等は、逆に、世の中の動向には左右されない普遍性を発揮しているような気がします。

飯島｜はい、そして、SIMPLICITYの緒方慎一郎さんや新素材研究所による工芸的なものや素材の解釈に基づいたデザイン活動も独特のものですね。審美主義というか、少し妖しい審美主義なところが興味深い。

山倉｜3章を締めくくる最後の事例として、設計事務所の新しいあり様を示す、谷尻誠さんと吉田愛さん率いるサポーズデザインオフィスの「社食堂」（2017年）を紹介しました。谷尻さんは、僕が東京を離れた2017年ごろから、建築家であることをベースにした起業家として活躍しています。

飯島｜建築界はどんどん変遷しており、寳神尚史さん（日吉坂事務所）もビルを建てて自ら運営していたりと興味深いです。谷尻さんは、まさにそうした方向の最先端を突っ走っている人で、今後、そういうデザイナーや建築家は増えてくるでしょう。サポーズの仕事は初期の頃から見ていますが、造形、建築だけで十分勝負できる実力がありながら果敢にチャレンジしていますよね。これまでの日本では"孤高の建築家像"がありましたが、中国では設計者がさまざまなビジネスを展開しているし、それがアジア

の標準となっていくように思います。

山倉｜話は尽きないのですが、最後に現代の空間デザインがどのように見えているのかという話で締めくくりたいと思います。僕としては、最近の日本では大型施設とは違った成り立ちの、個人の顔が見える店舗に個人的な興味は向いています。10年程前に、サンフランシスコでサードウェーブコーヒーの現地取材をしてきた人に聞いた、タンジブル（手で触ることができる、の意）というキーワードがいまだ印象に残っているのですが、人為的にエージングするようなつくり方ではなく、先に挙げたオーセンティシティやタンジブルといった、写真越しでは伝わらない、目や手を通して認知されるものが、より大切になっているのが現代かなと思っています。飯島さんがよく話題にされる『眼と精神』（メルロ・ポンティ）にも通じていく感覚かもしれません。最近訪れた、佛願忠洋さん（アバウト）がデザインした信楽の「ノタショップ」には感銘を受けましたし、クリエイターを挙げるなら、飯島さんが余白派と呼んだ人達や、社会とのかかわりを踏まえて空間やプロダクトを生み出している芦沢啓治さん（芦沢啓治建築設計事務所）、小倉寛之さん（ドロワーズ）らの動向が気になります。

飯島｜いつの時代でも、私にはなんとなく今はコレ、この感じかもね、っていう感覚があると思っています。つい最近、コンテンポラリーデザインという言葉を掲げて活動している we＋（ウィープラス）の霧をテーマにした展示「ネイチャースタディ：ミスト」を見に行ったんです。彼らは、その個展をリサーチプロジェクトと位置付けていましたが、詩歌等をリサーチし、自然現象である霧を人々のところに引き寄せようとしている

印象を受けました。自然現象をただ再現するような単純なものではないし、コンセプトが純粋でとてもおもしろかった。彼らの活動は、これから来たる時代のことをうっすらと示していて、今ある価値観を揺るがせているように思いました。また一方で、we＋とは別のタイプでいうと、佐野文彦さん（フミヒコサノスタジオ）のように、宮大工の修行を経て独立し、現代アートの作家達とも繋がりのあるような人が丁寧なデザインの店舗をつくっているのも興味深いですね。空間デザインというのは何事かの現象であると私は常々思っているのですが、その原点に立ち返ると、何らかの現象、例えば自然現象をどこに引き寄せるか、現象をどうキャッチして向き合うかという手法が、1970年代とは形を変えて動き出しているように感じます。

山倉｜対談というよりも、生き証人に聞くといった趣の取材になってしまいましたが、70年代と現代とを行き来する貴重なお話をありがとうございました。

実施日：2022年5月

184

掲載店舗情報

01 ハイアット リージェンシー 京都（2006年）
所在地｜京都府京都市東山区三十三間堂廻り644-2
設計（ロビー、レストラン、ギャラリー、ショップ）｜スーパーポテト
設計（客室、宴会場、ホワイエ、スパ&フィットネス、チャペル、会議室）｜
フォックス&カンパニー
施工｜大成建設
撮影｜白鳥美雄
―

02 ホテル クラスカ（2003年）
所在地｜東京都目黒区（営業終了）
設計｜インテンショナリーズ　都市デザインシステム（現 UDS）
グラフィックデザイン｜タイクーン・グラフィックス
インスタレーション｜トマト
家具ディレクション｜t.c.k.w：ubushina
施工｜オーパスデザインスタジオ　コスモスモア
撮影｜皆川聡
―

03 松虎（1997年）
所在地｜東京都渋谷区広尾1-16-2 VORT 恵比寿 II 2F
設計｜高取空間計画
グラフィックデザイン｜藤枝リュウジデザイン室
施工｜イシマル
撮影｜白鳥美雄
―

04 ザ・ペニンシュラ東京（2007年）
所在地｜東京都千代田区有楽町1-8-1
設計（内装）｜橋本夕紀夫デザインスタジオ
設計（建築）｜三菱地所設計
内装監理｜観光企画設計社
照明計画｜ティノ・クワン・ライティング・コンサルタンツ
サイン｜ビクター・アルサテ・デザイン・インターナショナル
アート｜アートフロントギャラリー
施工｜大成建設
撮影｜ナカサアンドパートナーズ
―

05 堀江 ブルー（2008年）
所在地｜大阪府大阪市西区南堀江1-5-26 キャナルテラス
堀江 東棟2F
設計｜cafe co.
アート｜スタジオサワダデザイン
船形カウンター｜高橋工業
アートファブリック｜オフィスイン
アートワーク｜八木製作所
ディスプレイ写真｜下村写真事務所
照明計画｜マックスレイ
施工｜ジーク
撮影｜下村康典
―

06 アシエンダ デル シエロ（2011年）
所在地｜東京都渋谷区猿楽町10-1 マンサード代官山 9F
設計｜SWeeT
照明計画｜ジャパンライティング
アートワーク｜ザ・ヴィンテージハウス
施工｜天然社
撮影｜ナカサアンドパートナーズ
―

07 マンダリンバー（2005年）、**鮨 そら**（2011年）
／マンダリン オリエンタル 東京
所在地｜東京都中央区日本橋室町 2-1-1（「鮨そら」は営業終了）
【マンダリンバー】
設計｜乃村工藝社 小坂竜
施工｜乃村工藝社
撮影｜ナカサアンドパートナーズ
【鮨 そら】
設計｜乃村工藝社 小坂竜 藪坂幸生
照明計画｜ウシオスペックス（現モデュレックス）
ガラスつくばい制作｜麹谷宏
スチールパーティション制作｜宜本伸之
施工｜清水建設
撮影｜ナカサアンドパートナーズ
―

08 ハウス 西麻布（2008年）
所在地｜東京都港区西麻布2-24-7 西麻布 MA ビルディン
グ4F
設計｜ジャモアソシエイツ
施工｜ラックランド
照明計画｜FDS
撮影｜KOZO TAKAYAMA
―

09 コール（2016年）
所在地｜東京都港区南青山5-6-23 スパイラル5F
設計｜ランドスケーププロダクツ
照明計画｜ニューライトポタリー
音響計画｜ソニハウス（現リスキュード）
植栽計画｜ヤード
ハンガー什器デザイン｜スペシャルソース
陶器デザイン｜ノタデザイン
施工｜ア・ファクトリー
撮影｜三部正博
―

10 ビジュウ（2013年）
所在地｜京都市下京区木屋町通四条下ル船頭町194 村上
重ビル
設計｜テルヒロヤナギハラスタジオ
設計・監理（建築）｜牧野研造建築設計事務所
アート｜華雪、稲岡亜里子
グラフィックデザイン｜ゴトウデザイン
植栽｜マエストロ
ファッション｜ミホ ゾオキ
ウェブサイト｜オバケ
音響計画｜鶴林万平
施工｜アンドエス
撮影｜太田拓実

11 DDD HOTEL（2019年）
所在地｜東京都中央区日本橋馬喰町2-2-1
ディレクション｜Aid Inc
設計｜ケース・リアル
照明計画｜ブランチライティングデザイン
家具製作・コーディネート｜E&Y
サイン計画・コーディネーション｜Aid Inc
施工｜田辺建設、TANK
撮影｜志摩大輔

—

12 ループウィラー（2005年）
所在地｜東京都渋谷区千駄ヶ谷3-51-3 山名ビル B1F
設計｜ワンダーウォール®
照明計画：プラスワイ
施工｜ディー・ブレーン
撮影｜KOZO TAKAYAMA

—

13 代官山 蔦屋書店／代官山 T-SITE（2011年）
所在地｜東京都渋谷区猿楽町17-5
クリエイティブディレクション｜池貝知子
設計（建築・内装）｜クライン ダイサム アーキテクツ
設計（建築）｜アール・アイ・エー
構造設計｜ストラクチャード・エンヴァイロンメント
電気設備・外構照明計画｜イオスプラス
機械設備｜日永設計
ランドスケープデザイン｜ふるうち設計室
店舗照明計画｜FDS
サイン・グラフィックデザイン｜日本デザインセンター 原デザイン研究所
グラフィックデザイン（アンジン）｜アウトセクト、ウオ
アート計画｜アートフロントギャラリー
施工｜鹿島建設東京建築支店、バウハウス丸栄
撮影｜ナカサアンドパートナーズ

—

14 ドルチェ＆ガッバーナ 青山店（2016年）
所在地｜東京都港区南青山5-5-8
設計｜キュリオシティ
照明計画｜バルバラ・バレストレリ・ライティング・デザイン
施工｜髙島屋スペースクリエイツ
撮影｜繁田諭

—

15 伊勢丹新宿店（2013年改装）
所在地｜東京都新宿区新宿3-14-1
設計｜丹下都市建築設計、GLAMOROUS co.,ltd.
設計協力｜乃村工藝社、コマースデザインセンター、グロフィス、岡本好司設計室
照明計画｜マックスレイ、ウシオスペックス（現モデュレックス）
アートディレクション｜ホワイトウォール
アートワーク｜近藤髙弘、レンジ、ナショナルインテリアエレダイ2、竹中造形美術、t.c.k.w、久住有生
施工｜清水建設、高砂熱学、斎久工業、西山電気、東邦電気工事、ウスキ電機、カナデンビルテクノエンジニアリング、アルス、エス・ピー・ディー明治、ギャルド ユウ・エス・ピイ、国際装飾、三翔、船場、丹青社、七彩、日展、乃村工藝社、マリアート、三越環境デザイン、ヤマトマネ

キン、吉忠マネキン
撮影｜ナカサアンドパートナーズ

—

16 リスン京都（2004年）
所在地｜京都府京都市下京区烏丸通四条下ル COCON KARASUMA 1F
設計｜野井成正デザイン事務所
施工｜吉野創美
撮影｜山田誠良
取材協力｜松本直也

—

17 菓匠 花桔梗（2005年）
所在地｜愛知県名古屋市瑞穂区汐路町1-20
設計｜トネリコ
照明計画｜Y2ライティングデザイン
グラフィックデザイン｜ホワイト ファット グラフィックス
施工｜山岸工務店
撮影｜淺川敏

—

18 イソップ 京都（2013年）
所在地｜京都府京都市中京区柳馬場通三条上る油屋町97
設計｜シンプリシティ
施工｜アンドエス
撮影｜太田拓実

—

19 オルソー ムーンスター（2020年）
所在地｜福岡県福岡市中央区薬院3-11-22
設計｜下川徹
照明計画｜山川幸祐
サイン計画｜ディスデザイン
施工｜坂本健治（大工）、三宅洋児（左官）、山口陽介（庭師）
撮影｜藤井浩司

—

20 小田垣商店 本店（2021年）
所在地｜兵庫県丹波篠山市立町19
設計｜新素材研究所
構造設計｜門藤芳樹構造設計事務所
設備設計｜ZO 設計室
照明設計｜FDS
施工｜吉住工務店
撮影｜森山雅智

—

21 ナイキ ワンラブ（2007年）
所在地｜東京都渋谷区（営業終了）
設計｜トラフ建築設計事務所
照明計画｜オンアンドオフ
施工｜イシマル、三保谷硝子店（ガラス）
撮影｜阿野太一

—

22 CA4LA 表参道店（2013年）
所在地｜東京都渋谷区神宮前4-26-18 原宿ピアザビル1、2F
設計｜ライン
照明計画｜イチルクス、ライムデザイン
施工｜ディー・ブレーン
撮影｜KOZO TAKAYAMA

23 デサントブラン 福岡（2015年）
所在地｜福岡県福岡市中央区大名1-14-19
設計｜スキーマ建築計画
サイン計画｜village
施工｜TANK
撮影｜長谷川健太
—

24 イグアナアイ 青山本店（2014年）
所在地｜東京都港区（営業終了）
設計｜水谷壮市デザイン事務所
アルゴリズム設計｜東京藝術大学美術研究科建築科構造
計画研究室シタムマラッド・ワンナボン
グラフィックデザイン｜モリデザイン
照明計画｜モデュレックス
シェルター製作｜メーカーズレボリューション　ヒラミヤ
施工｜山元
撮影｜ナカサアンドパートナーズ
—

25 beautiful people pop-up store unseen archives during the pandemic（2021年）
所在地｜東京都港区（営業終了）
設計｜山本大介デザイン事務所
施工｜デコール　木野内隆幸（大工）
撮影｜KOZO TAKAYAMA
—

26 ミュゼ 大阪（1998年）
所在地｜大阪府大阪市（営業終了）
設計｜インフィクス
照明計画｜マックスレイ
施工｜まこと建設
撮影｜ナカサアンドパートナーズ
—

27 プリティシングス（2014年）
所在地｜東京都世田谷区（移転）
設計｜カタ
照明計画｜モデュレックス
施工｜滝新
撮影｜長谷川健太 © 商店建築社
—

28 ダンデライオン・チョコレート ファクトリー&カフェ蔵前（2016年）
所在地｜東京都台東区蔵前4-14-6
設計｜パドル、モヤデザイン
厨房設備｜マルゼン
照明計画｜モデュレックス
音響設備｜小松音響
家具｜モブレーワークス
植栽｜温室
施工｜アンドエス
撮影｜太田拓実
—

29 メルセデス・ベンツ コネクション（2011年）
所在地｜東京都港区（移転）
基本設計・実施設計（内装）｜窪田建築都市研究所（現デジンズ ジェービー）
実施設計（建築）｜竹中工務店
照明計画｜ワークテクト
家具・什器アレンジ｜インターオーシャン
家具デザイン（2F ダイニング）｜ドリルデザイン
映像コンテンツデザイン｜ワウ
グリーンコーディネート｜ラダックフラワースタジオ
施工｜竹中工務店
撮影｜ナカサアンドパートナーズ
—

30 スクワット（2020年〜）
所在地｜東京都港区ほか
設計｜ダイケイミルズ
グラフィックデザイン｜柴田賢蔵
施工｜ディー・ブレーン＋ダイケイミルズ
撮影｜中村圭佑、志摩大輔
—

31 電通デジタル 汐留PORT（2022年）
所在地｜東京都港区東新橋1丁目8-1 電通本社ビル7、8F
設計｜シナト
照明計画｜FDS
植栽｜ソルソ
施工｜大林組　船場
撮影｜太田拓実
—

32 武蔵野美術大学 ゼロスペース（2018年）
所在地｜東京都小平市小川町1-736 武蔵野美術大学鷹の台キャンパス9号館1F
設計｜イガラシデザインスタジオ
照明計画｜Y2ライティングデザイン
施工｜清水建設
撮影｜ナカサアンドパートナーズ
—

33 シシ オフィス・プレスルーム（2010年）
所在地｜兵庫県神戸市（移転）
設計｜永山祐子建築設計
植栽｜荻野寿也景観設計
施工｜キョーワ・テクノ
撮影｜阿野太一
—

34 社食堂（2017年）
所在地｜東京都渋谷区大山町18-23 B1F
設計｜サポーズデザインオフィス
施工｜賀茂クラフト　イシマル　セットアップ
撮影｜伊藤徹也

あとがき

　この本をまとめることができたのは、これまでデザイナーの方々が情熱を注ぎ込み空間をつくりあげ、また、それを惜しみない熱量で語ってくださった賜物だと感じています。取材にご協力いただいた皆様、誠にありがとうございました。また、写真掲載に快くご協力くださったフォトグラファーの皆様にも、改めてお礼申し上げます。

　店舗デザインを紹介する雑誌の編集者として駆け出しだった2000年代の始めには、思い出すだけで赤面するような無知ゆえの質問を、店づくりの最前線で活躍する設計者の方々に投げかけてしまった記憶がありますが、時代を牽引するリアルな空間を自らの目で見て、現場やデザイン事務所で直接お話を聞く日々を過ごせたことは、他では得られない貴重な経験だったと、本書の執筆を経て、改めて実感しています。

　そこで得たご縁から、巻末ではインテリアデザイナーの飯島直樹さんを招き、文化的な背景やデザインに影響を与えた思想を含む、過去と現代を繋ぐ貴重な視座を本書に加えることができました。この対談では日々移り変わる"商い"の潮流と時代の捉え方を飯島さんに大いに語っていただき、すべてのエピソードを文中に書ききれなかったことが悔やまれます。入念な事前準備を含むご協力、誠にありがとうございました。当日の対談会場を快くご提供くださった、LIGHT & DISHESの谷田宏江さんにもこの場を借りてお礼申し上げます。

また、私が2003年から2017年まで所属した月刊『商店建築』の編集部は、日本で唯一の店舗デザインを紹介することに特化したチームであり、設計者の経歴や年齢といったバイアスなく、素晴らしいと感じた店舗について議論したり、その魅力を伝え合う土壌があり、人に恵まれた、学びのある環境に長く居られたことに深く感謝しています。

　最後に、「インテリアデザインを読み解くような本を書いてみませんか」と声を掛けてくださった学芸出版社編集部の古野咲月さん、構想段階から執筆中の長きに渡り、常に的確な助言をいただいたことに心よりお礼申し上げます。

2024年5月31日
山倉礼士

著者略歴

山倉礼士（やまくら・れいじ）

INTERIOR DESIGN COMMUNICATION Pty Ltd 代表。建築を学ん
だ後、2003年より株式会社商店建築社で月刊『商店建築』の編集に携
わる。2017年まで『商店建築』の編集長を務めた後、オーストラリアの
RMIT 王立メルボルン工科大学大学院にて Master of Communication
Design 修了。2020年より、メルボルンを拠点に日本やオーストラリアの
インテリアデザインを世界に発信するバイリンガルのオンラインマガジン
「IDREIT（アイドレイト）」（https://idreit.com/）を創刊、編集長を務める。
IDREIT の活動と並行し、デザインジャーナリストとして AXIS、Casa
BRUTUS、I'm home などメディアへの寄稿多数。

表紙写真の撮影：志摩大輔

商空間のデザイン手法
時代をつくる発想34

2024年7月15日　第1版第1刷発行

著者｜山倉礼士

発行者｜井口夏実
発行所｜株式会社学芸出版社
　　　　〒600-8216 京都市下京区木津屋橋通西洞院東入
　　　　電話　075-343-0811
　　　　http://www.gakugei-pub.jp/
　　　　E-mail　info@gakugei-pub.jp
編集担当｜古野咲月

アートディレクション｜見増勇介 (ym deisgn)
DTP・装丁｜関屋晶子 (ym deisgn)
印刷・製本｜シナノパブリッシングプレス

©Reiji Yamakura 2024　Printed in Japan
ISBN978-4-7615-3303-8

好評既刊書

東京ホテル図鑑　実測水彩スケッチ集

遠藤慧 著｜B5変判・128頁・本体2500円＋税

ISBN 978-4-7615-2857-7

設計・色彩のプロが、手描きスケッチでホテル空間の魅力を解剖！間取り、インテリア、アメニティ等を、素材や色、寸法つきで紹介。

実測　世界のデザインホテル

寶田 陵 著｜A4変判・96頁・本体3200円＋税

ISBN 978-4-7615-3247-5

海外50都市、200以上のホテルを訪れた著者の厳選スケッチ集。間取りからディテールまで"オンリーワンホテル"の設計術を読み解く。

カフェの空間学　世界のデザイン手法
Site specific cafe design

加藤匡毅・Puddle 著｜A5判・184頁・本体3000円＋税

ISBN 978-4-7615-3250-5

世界中のカフェを集めた空間デザイン資料集。豊富な写真、平面図とスケッチと設計者の視点から優れたデザイン的工夫を読み解く。

街づくり×商業　リアルメリットを極める方法

松本大地 著｜四六判・192頁・本体2200円＋税

ISBN 978-4-7615-2895-9

いかにその地域ならではのワクワク感やコミュニティ感覚を育てていくか。著者の実践と世界の潮流からプロデュースの実際を説く。

本のある空間採集
個人書店・私設図書館・ブックカフェの寸法

政木哲也 著｜A5判・192頁・本体2500円＋税

ISBN 978-4-7615-2861-4

全国の新刊書店、古書店、私設図書館、ブックカフェ、移動書店など44件を訪ね歩く実測集。オルタナティブな小拠点の居心地に迫る。

おもしろい地域には、おもしろいデザイナーがいる　地域×デザインの実践

新山直広・坂本大祐 編著｜四六判・192頁・本体2400円＋税

ISBN 978-4-7615-2810-2

きっかけ、仕事への姿勢、生活の実際、これからの期待を本人たちが書き下ろす。状況をおもしろがり、土地に根差したデザインを。

商空間のデザインエレメント
ディテールで学ぶ提案力の教科書

加藤吉宏 著｜A5判・184頁・本体2600円＋税
ISBN 978-4-7615-2749-5

商空間設計者の教科書。豊富な写真と図面で93作品のデザインの勘所を読解し、多様化する商空間のニーズに応える提案力を鍛える。

サーキュラーデザイン
持続可能な社会をつくる製品・サービス・ビジネス

水野大二郎・津田和俊 著｜
A5判・240頁・本体2800円＋税
ISBN 978-4-7615-2805-8

経済活動の全ての段階でエネルギー消費を低減する為の1) 理論2) 課題3) 実例4) 指針を紹介。個人・企業・組織が行動に移る為の手引書。

海外でデザインを仕事にする
世界の果てまで広がるフィールド

岡田栄造 編／川島 高・森山 茜・鈴木 元 他著
四六判・272頁・本体2400円＋税
ISBN 978-4-7615-2638-2

世界のフィールドで働くデザイナー14人のエッセイ。大都市の有名組織から途上国の市民工房まで、幅広い現場に可能性が広がっている。

色彩の手帳
建築・都市の色を考える100のヒント

加藤幸枝 著｜A5変判・240頁・本体2500円＋税
ISBN 978-4-7615-2714-3

都市を構成する色彩計画の考え方や、色の選び方のヒントを柔らかな文章と写真に凝縮。建築・土木設計、景観まちづくりの必携書。

学 芸 出 版 社 ｜ Gakugei Shuppansha

📄 近刊・新刊
📄 教科書・研修テキスト
📄 試し読み
📄 イベント
📄 レクチャー動画
📄 連載
📄 ニュースレター

建築・まちづくり・
コミュニティデザインの
ポータルサイト

✎WEB GAKUGEI
www.gakugei-pub.jp/